CRIME, RACE ET PSYCHOLOGIE

GUY GEORGES ET THIERRY PAULIN

ISBN: 979-8-88831-963-5

«Il y a un drame dans ce qu'il est convenu d'approfondir les sciences de l'homme. Doit-on postuler une réalité humaine type et en décrire les modalités psychiques, ne tenant compte que des imperfections, ou bien ne doit-on pas tenter sans relâche une compréhension concrète et toujours nouvelle de l'homme?»

Frantz Fanon, Peau Noire, Masques Blancs, 1952

CRIME, RACE ET PSYCHOLOGIE

GUY GEORGES ET THIERRY PAULIN

TABLE DES MATIÈRES

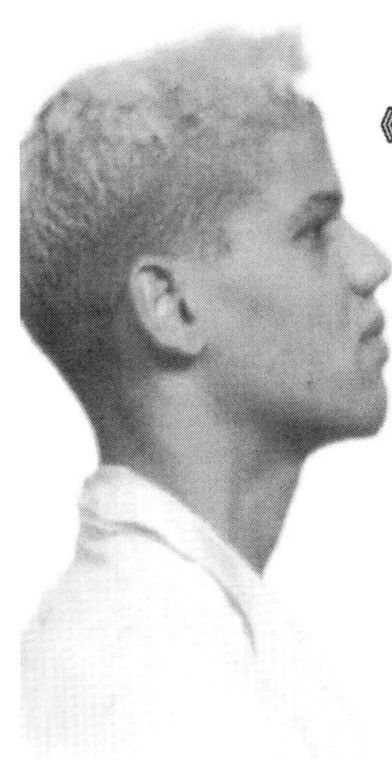

« JE SAIS QUE ÇA N'AURAIT
PAS DÛ SE TERMINER
COMME ÇA,
MAIS LES CHOSES
AURAIENT ÉTÉ
DIFFÉRENTES
SI ON M'AVAIT LAISSÉ
MA CHANCE. »

Thierry Paulin,
décembre 1987

« HIER VOUS NE PARLIEZ DE MOI QU'EN NOIR. MAIS J'AI DU BLANC, AUSSI. »

Guy Georges,
Avril 2001

INTRODUCTION

«Pourquoi mes parents m'ont-ils abandonné? Pourquoi m'a-t-on retiré la moitié de mon identité à 7 ans? Pourquoi ne se penche-t-on pas sur moi après ma première peine, alors qu'on avait décelé que j'étais dangereux? [...] Pourquoi ma folie meurtrière commence en 1991? Pourquoi suis-je devenu ce tueur implacable et sans pitié? Pourquoi je ne me plains jamais? Pourquoi est-ce que j'aime sincèrement mes amis?»

Ce passage, extrait de la lettre lue par Guy Georges au moment où il s'adresse à la cour en avril 2001 avant la délibération est un étrange écho aux paroles de Thierry Paulin datant du mois de décembre 1987.

«Je sais que ça n'aurait pas dû se terminer comme ça, mais les choses auraient été différentes si on m'avait laissé ma chance.»

Les mots des deux assassins sont la synthèse du drame et du chaos du parcours des deux seuls tueurs en série afro descendants de France. Par ces questions, ces réflexions puissantes, Georges s'adresse à la cour, mais surtout à sa mère-patrie qui l'a abandonné et détruit par ce rejet, cause principale de sa folie.

La déclaration de Paulin traduit quant à elle la fatalité d'une jeunesse antillaise perdue et sacrifiée par la folie historique sociale noire et blanche.
Le Noir, même criminel, porte en lui une humanité qui lui est niée bien plus qu'au criminel blanc.
Dans le monde psychiatrique français et ouest européen, le tueur noir sera étudié dans la superficialité, à travers des méthodes d'analyse propres aux malades blancs et à cela, sa part "autre", soit liée à l'expérience afro descendante, sera ignorée par le corps psychiatrique qui n'en comprend pas les fonctionnements.
La France fut l'un des plus grands empires coloniaux, au même titre que le Royaume-Uni. Par conséquence, elle est liée par son histoire, et ce même avant les premières invasions coloniales, à l'Afrique et au monde de la Caraïbe. Le corps noir ne lui est pas étranger. Pourtant, malgré la présence africaine-antillaise sur son sol, les études médicales ne s'adaptent pas et n'incluent pas ces populations, encore traitées sur le plan médical, comme des citoyens de seconde zone.
Pourtant, ces groupes, vivent avec des tares psychiatriques et psychologiques graves non gérées en raison de la violence de leur passé historique, mais aussi du rejet lié à l'expérience migratoire.

Ils suivent un parcours fait d'une succession de chocs qu'ils surmontent par le déni, tout en démontrant des comportements irrationnels dans leurs propres structures. Malgré tout, les tares propres à ces clans sont ignorées par le monde psychiatrique français.

Le phénomène des tueurs en série est rare en France, et il l'est encore plus lorsque ces derniers sont des Afro descendants.

Dans les cas de Georges et Paulin, le même schéma s'applique.

Les deux profils sont ceux de deux enfants, d'adolescents doux, aimants, mais brisés par le poids de l'abandon parental.

Ils ne naissent pas tueurs barbares, mais le deviennent dès lors que leurs chocs psychiatriques, causés par l'abandon parental, ne sont pas pris en compte, reconnus, soignés ou même abordés avec profondeur.

Si Paulin est décrit, par ceux qui le connaissent dans l'adolescence, comme un individu souffrant de carences affectives terribles, Georges consultera, enfant, puis à douze ans, où un psychiatre lui décèlera un problème de perte identitaire lié au choc de l'abandon.

Toutefois, si les profils se reflètent, ni leurs proches, ni les institutions ne se penchent sur leurs cas afin de trouver des solutions sur le plan médical. Au contraire, perçus comme des enfants problématiques, les parents les abandonnent au moment où ils ont le plus besoin d'aide et de soutien, soit à l'adolescence. Leurs crises violentes sont un appel à l'aide.

Aux yeux du groupe médiatique et du public, la haine explose en raison de la violence. Mais le groupe psychiatrique s'obstine à appliquer des méthodes d'analyse obsolètes face à la nouveauté et à la complexité que représentent les cas de Georges et de Paulin.

Dans ce prisme post-colonial, c'est l'humanité et le statut tout entier du Noir qui pose problème.

On ne le connait pas, et rien n'est fait pour remédier à cette ignorance et à l'entretien de ce dédain voulu. Le Noir fonctionne pour le corps psychiatrique comme un être disposable qui ne peut pas être affecté par son environnement.

Aussi bien chez Georges que chez Paulin, les évènements qui les font basculer dans la rage, la fracture et la haine sont aussi bien causés par des problèmes intérieurs, qu'extérieurs.

Parmi ces facteurs, il y a le rôle des familles abandonnantes, soit un fait reconnu par les groupes psychiatriques, mais aussi d'autres faits non mentionnés par peur, tabou ou incrédulité.

Ils sont, le racisme et ses conséquences, surtout dans le champ de

l'abandon, du choc de l'expérience migratoire (Paulin), de la structure pyramidale de la maltraitance familiale héritée des sociétés post-esclavagistes (Paulin), le poids de la violence historique afro descendante, le sentiment d'échec, le métissage colonial et le manque d'appartenance.
Ces facteurs sont niés ou omis dans les rapports ou expertises psychiatriques, dès lors que le Noir n'est pas, dans le monde médical, considéré dans son humanité au niveau psychiatrique.
Pourtant, aux États-Unis, des chercheurs, psychiatres, noirs et blancs, s'accordent sur un fait. La violence historique influence le degré de traumatisme et de fracture d'un individu, surtout si celui-ci est afro descendant, et évoluant dans un monde occidental blanc dans lequel il est isolé.
La sociologue Joy DeGruy en atteste dès 2005 dans son étude sur le syndrome post-traumatique de l'esclavage.
Afin de comprendre le mépris de la fonctionnalité de la psyché noire dans le monde psychiatrique concernant la vie des deux assassins, il faut prendre en compte la position du Noir.
Dans l'ère post-coloniale de Paulin des années 1980, les Antillais sont rendus invisibles et sont présents en France pour y être exploités par le BUMIDOM.

Par ailleurs, aucun intellectuel antillais ne s'est attaqué au traitement voyeuriste, homophobe et raciste dans les médias, dès lors que les membres de ce groupe social furent élevés pour se distancer, rejeter les anomalies au sein des leurs.
Si ces mêmes Antillais comprennent les raisons derrière la folie de Paulin, ils créeront une distance en raison de la honte qui leur est portée suite aux agissements de l'un envers les leurs.
Les cas de Georges et Paulin nous démontrent une chose.
Puisque le phénomène de meurtriers en série est un fait rare en France, les psychiatres n'auraient aucune raison de ne pas approfondir les profils des assassins. Puis, une distinction doit être établie entre la psychiatrie noire et blanche, dès lors que les patients malades ne font pas face aux mêmes facteurs de violence, qu'ils soient d'ordre historique, politique ou encore économique.
Le corps noir psychotique est malade a des degrés divers, mais inconnus car les Noirs ne parlent pas, puisqu'ayant été conditionnés pour intégrer des mécanismes d'auto-défense afin d'endurer leur dysfonction continuelle, par le maintien du silence.
Dans les cas de Georges et Paulin, soit deux individus affectés par des tares psychiatriques importantes, nous remarquons que

l'accent est d'abord placé sur la violence barbare de leurs actes odieux, et non pas sur le processus qui aurait pu les avoir menés à devenir des criminels. Leur bestialité, présentée comme innée car renvoyant à des stéréotypes coloniaux, est prise comme la source d'explication de leurs actes, bien que cette ultra-violence démontrée soit l'explosion d'une rage nourrie par des années d'exposition à des facteurs oppressants extérieurs.

L'absence du Noir dans le monde psychiatrique s'explique par deux causes principales. Tout d'abord, le monde psychiatrique occidental est construit sur les théories coloniales et donc sur une supposée hiérarchisation des races et des individus, qu'ils soient aussi noirs que blancs.

Il n'est pas surprenant que le père de la psychiatrie italienne, Cesare Lombroso qui déconstruisit le corps méditérranéen qu'il qualifia de profondément et naturellement criminel en raison des origines noires et asiatiques qui coulent dans son sang, soit hérigé au plus haut rang malgré son racisme profond.

Dans d'autres nations d'Europe, si nous prenons pour exemple le cas de la Grande-Bretagne, les Anglais avaient aussi utilisé la médecine pour justifier la destruction de l'Irlandais, perçu et traité comme un sous-être. Il en fut de même, bien évidemment,

pour les Afro descendants soumis à l'esclavage et colonisés.
Le Noir fut déshumanisé, mais surtout présenté comme un être sans âme, incapable de ressentir la douleur car vivant uniquement par des pulsions, aussi bien sexuelles que violentes. Ce spectre esclavagiste et colonial s'est maintenu au fil des siècles. La période des Lumières, considérée comme la base de notre époque moderne contribua fortement à cette dévaluation du Noir.
Puis, la deuxième raison prend racine dans le capitalisme. La psychiatrie, ou la médecine dans son ensemble, contribue à la réputation de la grandeur économique et à l'avancée intellectuelle d'une nation. Dans la structure ultra-capitaliste de l'Occident, l'absence du Noir dans le monde psychiatrique se traduit par le fait qu'il ne soit pas rentable, car dépourvu de valeur économique. En ce sens, le Noir est non seulement invisible au sein des structures médicales, mais son cas et sa complexité suscitent un désintérêt total de la part des médecins qui s'obstinent à poursuivre leurs connaissances eurocentriques qu'ils tentent d'appliquer à d'autres populations vivant au sein des nations européennes, pour lesquelles les tares vont au-delà des simples théories développées par les psychiatres blancs des

siècles passés. Ainsi, si la complexité du trauma subi par l'homme noir devait être reconnue comme réelle, celle-ci remettrait en question le statut de la médecine européenne occidentale, surtout latine, qui endure un grand retard car refusant de s'adapter aux changements, et ce, surtout quand les psychiatres, comme tous les autres médecins, sont perçus comme des dieux, en raison de leur savoir scientifique.

Comme pour chez Paulin, Mathurin et tant d'autres Antillais ou Caribéens, ces derniers furent encouragés à venir en Métropole dès les années 1960 afin d'y être exploités pour leurs bras. Puis, dès les années 1970, les vagues massives de travailleurs ouvriers africains vinrent combler le nombre d'Antillais. Ces individus, sur le plan économique, n'ont aucune valeur ou importance.

Ainsi, les seules études trouvées traitant de la place du Noir dans la psychiatrie sont américaines (États-Unis), car le Noir Américain, méprisé par les Blancs Américains, sont placés à un rang plus élevé que les immigrés africains et antillais vivant en Occident, dès lors qu'ils sont la première minorité évoluant au sein de la plus grande puissance du monde. Alors, le monde médical européen occidental approuvera les études les concernant.

Mais cette reconnaissance n'existe pas pour les catégories afro descendantes en France et en Europe de l'ouest puisqu'elles sont déjà rendues invisibles par l'histoire dans le champ de la migration.
Néanmoins, en raison de cet oubli et de ce délaissement, des profils psychopathiques se dessinent de plus en plus tôt sans que les institutions ne s'en rendent compte.
La psyché noire a un fonctionnement particulier, avec ses propres dérives. Cette psyché est déjà fracturée par le problème du rejet, du racisme et de la sous-estime de soi, causés par l'histoire.
Déjà en 1903, WEB DuBois, dans *The Souls of Black Folk* avait abordé les effets psychologiques de la ségregation sur la psyché afro-américaine. Par la *double consciousness* (traduite en français par la "charge sociale") il traite de la question du dédoublement.
Par l'expérience du rejet, l'homme noir n'est pas lui-même, mais un être déconstruit, multiple qui vit avec plusieurs masques.
Les deux assassins déconstruisent à eux seuls le mythe mensonger dont l'argument principal serait d'affirmer que la violence en France serait le produit de la venue massive d'immigrés sub-sahariens, dans le sens où Georges et Paulin sont tous deux les purs produits de la création coloniale et post-coloniale française.

Par leur condition de naissance particulière, ils sont tous deux les enfants de la patrie, mais par leur dérives meurtrières, ils renvoient à la misère psychologique des leurs.
Guy Georges et Thierry Paulin. Deux enfants que la mère-patrie fracture autant que la mère biologique et nourricière.
La violence psychiatrique endurée par les Afro descendants est réelle, mais vécue comme un tabou placé sous silence. Pourtant, Georges et Paulin en sont les principaux exemples ayant fait état d'une relation directe entre folie, expérience noire dans le prisme migratoire et violence mentale et physique. Rien en eux n'est incompréhensible ou difficile à étudier. Si l'affaire Georges demeure taboue au sein de la brigade parisienne puisqu'elle met en avant les défaillances du système juridique, social français dans beaucoup de branches, leur part noire africaine n'est jamais explorée, exploitée ou étudiée afin de comprendre la source et l'origine de leur folie meurtrière. En réalité, le groupe psychiatrique ne croit pas en la conséquence de la violence de l'expérience noire sur la psyché des criminels noirs, de manière ordinaire. Ces derniers sont analysés et étudiés sous le prisme blanc français par des méthodes qui ne peuvent en aucun cas compléter le diagnostic dès lors que les deux catégories ne font

pas face aux mêmes problématiques et n'évoluent pas au coeur du même environnement. La France est, surtout depuis la période post-coloniale, un nouveau pays au sein duquel différents mondes, dirigés par des modes de fonctionnement divers coexistent dans le secret. Ceux-ci évoluent avec une grande rapidité, si bien que les institutions basées sur le traditionnalisme et réfractaires au changement et à la nouveauté pour protéger la structure de ces institutions prestigieuses, ne parviennent jamais à s'adapter à temps à cette évolution drastique. Pour le monde psychiatrique et judiciaire, Georges et Paulin ont représenté une nouveauté à laquelle personne ne s'était préparé.

Cette ignorance quant à l'impact du problème racial sur les populations afros en France est non seulement liée à une obsession de l'universalisme qui ne reconnait pas les différentes couleurs de peau, mais aussi à une manière de vouloir taire le fait que la violence historique peut être l'un des éléments déclencheurs les plus brutaux quant à l'explosion de la folie d'un individu afro descendant et qu'ainsi, tous les citoyens français ne sont pas semblables face à la psychiatrie et dans le rapport à l'histoire.

À dire vrai, les profils de Georges et Paulin n'ont pas été étudiés dans leur totalité dès lors que celle-ci implique l'exploration d'une réalité. Si la problématique de l'abandon fut abordée pour expliquer la raison derrière la violence sanguinaire des assassins, les institutions françaises se refusent à reconnaître une certaine évidence. Georges et Paulin ont été fracturés par la psyché en raison du poids de l'histoire et des dégâts causés par la violence, dureté de l'expérience noire en France. La folie première de ces deux hommes provient de leur place improbable et brutale dans l'Histoire.

Les affaires Guy Georges et Thierry Paulin constituent un échec total pour le monde médical et judiciaire. Les deux tueurs auraient pu être sauvés, mais ont demeuré dans l'oubli. S'ils ont suscité la honte auprès des communautés afro descendantes présentes en France au moment de leur arrestation, les deux hommes démontrent un point important.

L'absence de structures psychiatriques propres aux minorités afro descendantes en France et la violence liée à l'invisibilité et au racisme auxquels sont exposées ces minorités peuvent pousser certains d'entre eux à sombrer dans une folie pyschiatrique, mais aussi meurtrière.

Il est impossible de tenter de comprendre Georges et Paulin en dehors de l'histoire noire, et de ses mouvements au sein des territoires de migration. Ces réalités demeurent taboues pour le monde juridique et médical car si révélées, elles démontreraient combien le traitement brutal des minorités peut favoriser l'émergence de profils psychotiques et criminels au sein de leurs rangs.

Qu'il s'agisse de Guy Georges ou de Thierry Paulin, plusieurs facteurs déclencheurs dans leur enfance et adolescence sont révélateurs de cette influence historique. Ils sont tous deux métis, victimes d'abandon, évoluent dans une société française blanche au sein de laquelle l'homme noir est invisible et sont au coeur du système de marchandisation capitaliste.

En d'autres termes, par leur condition de naissance brutale, les deux individus ont été exposés dès les premiers jours à une forme de fatalité sociale qui les eut emprisonnés, en tant que jeunes hommes afro descendants dans l'oppression constante.

Si cet impact historique brutal n'est pas abordé par hypocrisie, il démontre un fait véritable. Le monde médical ne considère pas les patients afro descendants dans la complexité de leurs tares mentales car ils ne représentent qu'une minorité de malades et

ne sont pas pris en compte dans leur humanité.
Les médias ayant couvert les affaires Paulin et Georges ne se sont que très peu penchés sur la problématique du racisme et les experts psychiatres n'ont pas traité de la question de la différence de fonctionnement de la psyché de l'Afro descendant qui s'oppose à celle du patient Euro descendant.
Il est impossible de nous pencher uniquement sur les crimes pour comprendre Georges et Paulin, dès lors que leur évolution meurtrière est la manifestation d'une fracture profonde qui s'est accentuée au fil du temps sans jamais que leur ascendance noire ne soit étudiée convenablement par le groupe psychiatrique blanc. Ils ne tuent pas pour tuer, mais pour exprimer une folie intérieure qui gangrène au-dedans d'eux, mais qui est réduite au silence.
La psychiatrie française est nourrie par le racisme. Puisque le concept de la race ne peut pas exister, il est alors impossible que le racisme contribue à la fracture mentale de l'Afro descendant.
Et c'est donc la place de l'Afro descendant dans sa déchéance totale qui nous intéresse à travers l'étude des deux criminels.
L'homme noir ou métis est-il vu par la psychiatrie comme un être à part entière en proie à ses propres problématiques qui peuvent

le détruire de l'intérieur et dont la folie provient également de la violence de l'histoire noire et blanche, ou comme un individu vide, sans profondeur qui n'est pas affecté par son environnement?

La France n´est pas connue dans le monde pour le nombre de ses tueurs en série. Là, au sein de l'Hexagone, ce phénomène reste encore rare. Alors, quand les tueurs sont des Afro descendants, les évènements sont encore plus surprenants.

Guy Georges et Thierry Paulin sont les deux seuls tueurs en série français afro descendants les plus connus (si l'on exclue Mamadou Traoré, multirécidiviste, qui attaqua ses victimes car étant un malade psychiatrique grave au sens propre du terme).

Les deux jeunes hommes ont défrayé la chronique, il est vrai, et furent exploités par la presse pour nourrir le voyeurisme et la passion pour le morbide.

Mais au-delà de la violence et de la morbidité obscène de ces deux assassins, criminels d'envergure du Xxème siècle, nous voulous nous interroger sur leur représentation symbolique au-delà du crime.

En effet, chaque criminel en série est présenté comme un "autre", comme un échec de la société différent de l'homme ordinaire issu de la stabilité. Ces tueurs sont ces "autres", ces maudits.

Pourtant, si l'on se penche sur la chronologie des faits et sur leur évolution, Georges et Paulin n'auront jamais été aussi proches de la société des gens de bien. En effet, ces deux criminels sont le produit social, historique et économique de la société française de leur époque.

Ils représentent l'envers du décor du système du progrès car appartenant à la sphère de ceux que l'on cache car nuisant entièrement au fonctionnement de la bonne vie.

En réalité, Georges et Paulin sont bien plus que des tueurs en série dès lors que leur profondeur n'a jamais été étudiée ou analysée par les parties responsables aussi bien dans le monde psychiatrique, judiciaire que médiatique.

Qu'il s'agisse de Georges ou Paulin, ces derniers représentent la nouveauté pour le monde judiciaire. Dans une France des années 80 et 90 aux technologies judiciaires peu innovantes, les profils des assassins posent problème.

Il est clair que le racisme, le rejet, l'abandon ont été des causes ayant contribué à leur fracture psychique. Mais dans un système français réfractaire à l'idée de parler du problème de la "race", par contrainte universaliste, les complexités de l'identité des

deux tueurs demeurent floues et sciemment omises.
Georges et Paulin appartiennent à l'histoire noire, bien évidemment, mais sont surtout le produit de l'histoire blanche française. Ils ne sont pas ces "autres", mais les symboles de son échec.
Dans cette problématique, il est impossible de comprendre les deux tueurs à travers le spectrum de la psychiatrie blanche dès lors que leur psyché est influencée par d'autres facteurs, car étant Afro descendants.
Mais ces réalités ont été niées, pas même abordées bien que réelles.
Dès les années 1960, des médecins britanniques blancs en Grande-Bretagne avaient commencé à rédiger des rapports médicaux mettant en garde la santé publique sur le grand risque de schizophrénie chez les patients d'origine afro-caribéenne en raison du choc enduré par l'expérience migratoire, le racisme, la dépression et l'anxiété sociale.
Pourtant, malgré la présence antillaise, la médecine psychiatrique française n'a developpé aucun pôle de recherche pour ces patients afro-antillais, atteints de troubles psychiatriques.
Le Noir, dans la psychiatrie, n'existe pas. Et le seul auteur ayant

laissé un héritage sur ce fait n'est autre que Frantz Fanon.
Georges et Paulin sont le symbole de cet oubli social, racial et économique.
Ce travail, cette étude, propose de voir les deux assassins sous l'angle de ce qui les surpasse, de les replacer dans le contexte socio-historique auquel ils ont appartenu afin de saisir la profondeur des personnalités.
Aucun des deux hommes n'a su servir de leçon à la société qui oublie tout dès lors que la passion médiatique redescend.
Nous serait-il permis de voir les deux tueurs sous le cadre historique?
En effet, c'est bien dans l'histoire que la source de la folie des deux hommes prend vie. Il y a tout d'abord chez Guy Georges, l'abandon aux services de la DDASS car ayant été le fruit d'une relation mixte non acceptée, et chez Paulin, ce dernier représente l'échec de la politique migratoire antillaise vers la Métropole durant le BUMIDOM.
Les deux hommes, il est vrai, ont réussi le triste exploit de terroriser l'Est de Paris, à quelques années d'intervalle.
Toutefois, si aucune preuve ne peut déterminer que Georges et Paulin se soient un jour rencontrés, leur évolution criminelle,

sans être identique, se reflète.

Thierry Paulin, le plus grand tueur en série de l'histoire criminelle française a reconnu plus de vingt meurtres. Néanmoins, la police française détient assez de preuves démontrant son implication dans près de quarante affaires.

La justice ne prend pas en compte les vieilles dames assassinées ou laissées pour mortes qui n'ont jamais été reliées au dossier. Combien d'autres vieilles dames auraient-elles été frappées, agressées ou volées sans avoir cherché à joindre la police, par peur?

Il est donc plus que probable que Paulin ait commis plus d'une centaine d'attaques entre 1984 et 1987, accompagné par de nouveaux complices ou ayant agi seul.

Par conséquent, il dépasse Guy Georges d'une large marge dans le comble de l'infâme. Pourtant, Georges qui commença sa carrière criminelle plus tôt que Paulin, soit à la fin des années 70, fit sept victimes assassinées, violées, bien qu'il ait échappé, dès la fin des années 70, aux conséquences de ses premières attaques de criminel sexuel et d'agresseur.

Il échappa, comme Paulin, aux sanctions de la justice durant de nombreuses années.

Comme évoqué précedemment, Paulin et Georges se reflètent.
Les deux hommes sont Afro descendants et Métis, ont à peu près le même âge, incarnent les dégâts de l'intersectionnalité, ont subi l'abandon au sein d'une société blanche française dans laquelle le Noir y est invisible, ils sont la conséquence du poids de l'histoire noire, ont évolué dans un cadre hostile à leur condition particulière et n'ont jamais fait de victimes noires, tuant uniquement des femmes blanches. Toutefois, les comparaisons ne peuvent pas s'arrêter là.
En effet, les affaires Georges et Paulin mènent à la mise en place d'une révolution judiciaire. La police fit preuve d'un échec total face à la violence des deux tueurs, et cette défaillance donna naissance à un changement.
Pour Paulin, la police française décide de créer un fichier national d'empreintes digitales, car ayant échoué à faire le lien entre les empreintes trouvées sur la scène de crime de 1984 qui appartenaient à Paulin et celles archivées par la police de Toulouse lors du premier braquage commis par ce dernier en 1982. Pour Guy Georges, c'est l'ADN qui révolutionne le tout.
Mais avant toute chose, Georges et Paulin symbolisent un fait quant à l'expérience afro descendante en France.

Les deux hommes marquent la première fracture d'une génération oubliée qui précède celle de la crise des banlieues des années 90.

Puis, il y a les étranges rappels de la vie de l'un dans celle de l'autre, au niveau familial. Thierry Paulin a pour mère Rose-Helène Larcher, dite Monette, et Guy Georges, Hélène Rampillon.

Le père de Paulin, Gaby, se prénomme en réalité Guy. Enfin, les deux hommes ont la même structure familiale d'abandon marquée par la pression sociale en raison de la négritude.

Gaby Paulin et George Cartwright, pères de Paulin et Guy Georges, sont tous deux des hommes noirs et métissés issus de sociétés post-esclavagistes qui abandonnent leurs amantes et fuient leurs responsabilités en tant que patriarches.

L'un est Antillais, Martiniquais et l'autre Afro-Américain.

Puis, les mères sont toutes deux blâmées pour l'abandon, mais sont aussi mauvaises car façonnées par la violence de leurs hommes qui les abandonnent, les laissant faire face à la pire décision de leur vie, soit de se résoudre à l'abandon d'un enfant. Ces femmes furent aussi les premières à subir les jugements de la société patriarcale en raison de leurs moeurs. Elles furent les premières à connaître la marge avant leurs fils, plus tard.

Cette étude est une analyse de la vie des deux assassins d'un point de vue comparatif par leur place dans la société, dans la psychologie et dans l'historique, afin d'explorer leur enfance, leur adolescence et méthodes criminelles en vue de les comprendre dans la profondeur.

C'est à travers des sources journalistiques, des lectures des procès-verbaux datant des auditions, d'études d'auteurs antillais, américains et français que ce travail a pu être réalisable.

Bien que ceci ne soit pas obligatoire, la lecture de l'ouvrage *Thierry Paulin: Une Tragédie Noire* (2022) serait recommandée car certains détails de la vie du *Tueur de Vieilles Dames*, mentionnés dans l'ouvrage précédent ne seront pas retranscrits ici.

Enfin, il est important de préciser que notre étude ne cherche en aucun cas à amoindrir les faits horribles pour lesquels Georges fut condamné et Paulin arrêté, mais d'explorer tous les éléments jugés problématiques laissés pour compte par les médias et par la justice qui étaient relatifs à la race, à l'histoire et à l'oppression auxquelles les deux tueurs ont été exposés toute leur vie.

Bien que la présence afro-descendante en Europe ne date pas de la période coloniale, mais bien de l'Âge de Bronze par les Kushites-Ethiopiens qui furent co-fondateurs de la culture méditerranéenne aux côtés des Grecs, le monde occidental a vu son progressisme disparaître lors de son émergence en tant que puissance politique globale.
L'année 1492 marquera un tournant dans l'histoire du monde entier par les conquêtes des Amériques, l'instauration du système de déportations massives des populations africaines vers les espaces du monde arabe, de la Caraïbe, ou même de l'Asie, et aussi par la naissance de nouvelles philosophies inspirées par cette ouverture sur le monde qui change le statut européen.
Si les dirigeants européens n'avaient jamais, depuis l'Âge de Bronze, promu le racisme, c'est à partir du Xvème siècle, avec la victoire contre les Maures, que les pensées racialistes commencent à circuler.
Plus tôt, dès le VIIème siècle, les marchands esclavagistes arabes avaient déjà montré leur grande prospérité économique nourrie par l'esclavage. L'Iraq moderne, par la ville de Basra, a su jouir des

effets des déportations massives d'Africains de l'Est pour y développer le port. C'est avec l'aide des penseurs arabisés et arabes plus tard au Moyen-Âge, qui contribuèrent au processus de déshumanisation de l'homme noir, que les Occidentaux, tout d'abord réfractaires à ces idées, finiront par y céder afin de faire prospérer leur économie, par l'exploitation de cette nouvelle technologie humaine tout droit venue de l'intérieur du continent africain. La force physique de l'homme noir fut donc nécessaire au développement économique fort de l'Europe de l'ouest.

Depuis le Xvème siècle, donc, l'homme noir connut une déshumanisation extrême dont ses descendants en portent encore le poids de nos jours.

Grâce à la force économique globale retrouvée, les Occidentaux ont, dès le XVIIIème siècle, pendant le Siècle des Lumières, songé à renforcer le monde de la pensée, de la médecine et leur intelligentsia. Même au coeur de l'esclavage, des débats furent organisés entre hommes de lettres confrontant les opposants à l'esclavage africain et leurs partisans.

C'est durant ce Siècle des Lumières que le racisme scientifique occidental, tel que nous le connaissons de nos jours, prend racine. Là, le Noir n'est pas seulement déshumanisé mais on lui retire

tous ses sens et facultés humaines.
Aux États-Unis, il est bien évidemment animalisé, dépeint comme une bête naturelle sauvage et cruelle qui représente un danger pour l'ordre social et pour la sécurité des femmes blanches. Il n'est pas reconnu comme un être humain mais comme un objet qui attise la curiosité perverse du corps médical et scientifique.
Il n'est pas rare que les corps de certains esclaves soient utilisés pour des expérimentations scientifiques.
La femme noire, qui est utilisée et exploitée comme du bétail pour la reproduction de masse, est perçue comme un être sans douleur sur qui des opérations sans anesthésie sont pratiquées afin que la médecine puisse progresser. Les nourrissons n'échappent pas à ces quelques tortures.
Le Noir, durant la période de la ségregation est également étudié quant à sa place dans le métissage et dans la dilution.
Des lois ou concepts racistes tels que ceux de la *One Drop Rule* régulent la négritude des individus les plus blancs de peau (métis) en arguant que tout individu portant en lui une goutte de sang négroïde serait, un Noir.
Aux Antilles françaises, au Brésil, en Louisiane, Haïti et dans la Caraïbe hispanique, les colons européens, par le soutien des

scientifiques, établissent des hiérachies raciales en fonction des dilutions et des mélanges raciaux. On parlera alors de métis, de marabouts, de quarterons, d'octavons, d'héxadécarons, de mûlatres, de zambos, de pardos et de tant d'autres appellations, soit des références aux racines spécifiques de chaque individu mélangé et à sa place au sein de l'échelle pyramidale des valeurs.
Ce métissage crée non seulement une folie, maintient une division entre le Noir et le Blanc qui domine, mais enferme également des individus dans une folie dès lors qu'ils sont, par essence, des objets et des créations coloniales.
Les avancées du monde médical occidental sont directement établies par et à travers l'exploitation, la déshumanisation et l'oubli du corps noir, qu'il soit en Afrique, en Amérique ou dans la Caraïbe.
Pourtant, si les présidents européens se rendent à des commémorations de l'esclavage, et si les Européens modernes sont horrifiés à l'idée de penser que leurs institutions aient pu vendre des Africains pendant quatre siècles, ces derniers pensent à tort que les conséquences de l'esclavage sont terminées.
Ces créations coloniales et esclavagistes, soit les populations des Antilles françaises et de certains pays d'Afrique francophone,

endurent les conséquences psychiatriques de ces évènements depuis de nombreux siècles. Mais ces réalités sont tues et jamais mentionnées au sein des institutions psychiatriques en France et en Occident.

En effet, la psychiatrie occidentale fut fondée en partie sur l'exploitation du corps afro descendant, mais elle s'est aussi développée sous un angle purement eurocentrique assumé.

Puisque la médecine concerne l'intelligence et symbolise la progression intellectuelle d'une nation, elle jouit d'un statut divin et ne peut pas, dans la rationnalité scientifique et technologique, être remise en question. Ainsi, tout au long de ces siècles, les pays européens ayant colonisé des nations en dehors de leurs frontières, n'ont jamais songé à développer leur médecine en fonction des besoins, des tares et des carences de ces dernières qui ne se plaignent pas, car ne se sachant pas malades.

Pourquoi les cas de Guy Georges et de Thierry Paulin posent problème au monde psychiatrique français? Tous les experts chargés d'étudier ces deux profils se heurtent à une incompréhension, à une énigme. Ils ne savent pas, ne comprennent pas et jugent les deux hommes complexes.

Dans leurs rapports, aucun ne met en avant la question raciale, historique, mais chacun tente d'approcher les deux hommes afin de chercher des réponses à leurs propres requêtes, bilans pré-établis qui ne marchent pas dans le sens d'une autre réalité, oubliée.

a) Le tabou communautaire

Si tous les Afro descendants soumis à la pression de la vie quotidienne ne tuent pas, Georges et Paulin représentent deux cas excessifs quant à l'existence d'une dure réalité.

Les Afro descendants victimes de maladies mentales sont exclus de leurs propres groupes, aussi bien blancs que noirs, surtout au niveau des familles.

Puisque les populations immigrées, aussi bien antillaise et africaine, sont des créations coloniales vivant uniquement pour et par le biais de l'acceptation eurocentrique, tout individu démontrant des tares de comportement qui indiqueraient le dysfonctionnement causé par cette pression sociale imposée, sera écarté et abandonné au moment de sa plus grande vulnérabilité.

La communauté afro descendante niera l'existence de maladies mentales, reniera l'être malade ou argumentera que son état est le produit de la sorcellerie ou des mauvais sorts.

b) L'abandon de la psychiatrie pour les Afro descendants

L'échec des deux assassins est en grande partie lié aux défaillances judiciaires et policières, comme nous le savons déjà. Toutefois, il est intéressant de remarquer que, durant leur adolescence, avant même le début des meurtres, les deux tueurs en série font face à une grande solitude et ne trouvent aucune institution sociale et psychiatrique présente qui pourrait les soutenir. Le manque d'infrastructures psychiatriques, médicales propres aux groupes afro descendants de cette France post-coloniale sont inexistants.

Les manifestations de leur dépression et de leur folie sont présentes, mais les causes, qui sont pourtant logiques et visibles, ne sont pas reliées à la tragédie de leur conception.

Bien que jeunes et incarnant le dynamisme, les Georges et Paulin adolescents ont été abandonnés à eux mêmes bien qu'ayant eu besoin de la plus grande aide, et le monde psychiatrique les eut ignorés.

Kwame Mackenzie est un psychiatre et professeur britanico-canadien enseignant au Département de la Psychiatrie à l'Université de Toronto. D'ascendance afro-caribéenne anglophone, le médecin est l'un des seuls rares de sa génération à s'être penché sur la question du racisme structurel au sein du monde médical.

Si les questions psychiatriques propres aux minorités posent problème en France, un pays où l'institution médicale demeure fermée à l'impact du racisme et de la violence historique sur la psyché d'un individu Afro descendant, le monde anglophone, bien qu'eurocentrique, permet aux rares psychiatres afro descendants de contribuer à l'émergence de la question.

En 2003, dans un article publié dans *The Journal Of Psychiatry*, qui traite du taux de suicide dans les communautés anciennement colonisées, Mackenzie remarque une chose.

Les communautés rendues minoritaires sont davantage touchées par la violence psychiatrique.

Les Blancs Américains se suicident plus que les Afro-Américains. Mais les Natifs Américains, dont le nombre fut réduit considérablement en raison du génocide, surpassent le nombre de victimes blanches. En effet, le taux de suicide chez les Natifs est

50% plus fort que celui des Blancs.

Chez les Hispaniques, ce sont les jeunes qui sont touchés par les vagues suicidaires.

Mackenzie rapporte des études suédoises de l'année 2003 qui prouvent que les immigrés de première génération ont plus de chance d'être frappés par une poussée de suicide, et que cet effet est pire chez leurs enfants.

Dans les populations nommées par le psychiatre, un point commun est mis en lumière. Leur maladie psychiatrique collective prend racine dans la folie et dans la barbarie de leur conception historique.

1)Le premier choc est causé par la violence coloniale, en raison des déportations, des viols, des massacres, des vols de terre, du processus d'Européanisation identitaire et des attaques.

2) Les populations font face à une succession de chocs non soignés ou abordés car préservés par le tabou et le secret communautaire.
3) Ces communautés sont isolées par la géographie ou par l'expérience sociale. Elles n'ont aucun référent dans les médias publics, ne sont pas représentées et évoluent dans un vide total.

4) Ces groupes sont forcés d'évoluer ensemble sans possibilité de faire prospérer l'individualisme en tant que tel. Les enfants doivent non seulement endurer la violence historique, le poids de la charge sociale mais aussi vivre avec la souffrance des aînés.
5) Puis, ces groupes sont toujours issus de structures qui croissent dans la pauvreté systémique et maintenue. Par conséquent, les individus sont forcés de vivre dans la survie économique constante, n'ayant aucune possibilité de penser à se questionner sur leur état, car pensant à se dédoubler pour jouir d'un minimum de stabilité sociale et économique.

En raison de cela, les membres de ces structures évoluent dans un cycle de groupe oppressant au sein duquel l'objectif individuel est inexistant. Les jeunes générations restent donc prisonnières de cette vie morose, et ils subissent l'absence d'ouverture.

Ces réalités concordent avec la vie familiale de Thierry Paulin. Chez lui, comme chez Jean-Thierry Mathurin, son ancien complice et meilleur ami, les membres de leurs familles sont atteints de troubles psychologiques non évoqués et nourris par la violence de leur condition historique et sociale.

Mathurin subit la violence sexuelle dès sa petite enfance, n'a pas de repères stables, grandit entouré d'individus violents qui le battent et souffre de voir sa mère grandir dans une grande pauvreté. Il ne connait pas d'environnement sain et les adultes chargés de prendre soin de lui perpétuent cette violence particulière des sociétés post-esclavagistes.

Chez Paulin, c'est la violence maternelle qui le brise. À la brutalité de l'abandon chez sa grand-mère paternelle, c'est la torture psychologique que sa mère Monette lui inflige par le refus de lui redonner l'amour qu'il réclame qui le mène à sa perte. Les rancoeurs, la rage et la violence sont les produits du post-esclavagisme en Martinique.

C'est la violence familiale chez ces individus qui est le reflet de la folie historique qui nourrit leur quotidien. Celle-ci les encourage à supprimer leurs sentiments.

Chez Guy Georges, le thème primordial est celui de la fracture.

Le choc de l'abandon de ses parents, et son identité d'enfant métis abandonné au sein d'une famille blanche dont la mère adoptive l'objectifie, le détruisent et fracturent en partie son esprit.

Il est dépressif, tout comme Paulin, ne s'est jamais remis du délaissement de ses parents, et n'a aucun référent noir ou métis

autour de lui, peinant donc à avoir un exemple de proximité.
Il n'est personne. Par réaction, il agit sous le coup de pulsions qui le pousseront peu à peu à frapper, agresser, puis violer, violer et assassiner.
Le monde médical occidental ne s'organise pas toujours sur l'égalité et l'envie de protéger tous les individus, mais il est fondé et s'établit sur un rapport de force au sein duquel des populations malades ne sont pas prises en compte car n'ayant aucun poids, aucune valeur marchande dans la vision capitaliste mais aussi dépourvues de statut de valeur dans l'histoire post-1492, ère de fondation de notre époque moderne.

VKY

THIERRY PAULIN:

UNE TRAGÉDIE
NOIRE

Editions Canaan

CHAPITRE 1

CONTEXTE HISTORIQUE

Si Guy Georges et Thierry Paulin ont défrayé la chronique et la rubrique des faits-divers, les deux hommes n'ont jamais été compris ou étudiés à travers le prisme de l'histoire migratoire noire en France. Les deux uniques tueurs en série afro descendants sont certainement reconnus comme des monstres, mais jamais comme le pur produit de la société française de leur époque dans toutes ses défaillances, et ce, surtout si l'on se penche sur le spectre tragique de l'expérience noire.

Georges et Paulin appartiennent tous deux à la première génération afro descendante qui marque la fracture. Avant que les banlieues françaises ne brûlent dans les années 1990, traduisant un malaise social et un abandon de ces descendants d'immigrés, les deux hommes, par le parcours, se sont inscrits dans la tragédie de l'expérience noire française et post-coloniale. Georges, né en 1962 et Paulin né en 1963, voient respectivement le jour en Métropole et aux Antilles, à une période qui signe la tourmente post-coloniale.

En 1959 et 1961, quelques années avant sa naissance, la Martinique de Paulin est plongée dans la révolte et la rébellion. Jusque dans les années 1970, un système occulte de travail forcé de récolte de bananes destinées à être vendues en Métropole sévit. Aux Antilles, cette période de troubles se traduit par un exode rural vers le centre, avec une économie antillaise qui est aux mains des békés[1]. Les années 60, aussi bien dans l'espace caribéen, africain, américain, qu'européen marquent un tournant dans l'histoire du mouvement décolonial.

Georges et Paulin sont donc les premiers descendants de ces populations noires ayant été envoyées ou appellées en France afin d'y être exploitées. Pour ces enfants d'immigrés, leurs parents nés entre les années 1930 et 1940, considèrent la migration vers la France comme une chance, comme une terre où les opportunités abondent ou peuvent se créer.

En 1960, les Antillais et Réunionais arrivent en Métropole massivement par le BUMIDOM. Gaby Paulin, père de Thierry Paulin, quittera sa Martinique natale deux jours après la naissance de son fils pour effectuer un stage à Paris avant d'être

---

1 Marie Claude-Valentin. Les Antillais en France : une nouvelle donne. In: *Hommes et Migrations*, n°1237, Mai-juin 2002. Diasporas caribéennes. pp. 26-39.

envoyé à Toulouse où il refit sa vie. Ces immigrés antillais ne le savent pas encore mais ils seront destinés à une exploitation physique sans nom.

Ces citoyens français sont, aux yeux de l'État qui organise le BUMIDOM, des Français de seconde zone. Cette stratégie politique de "déportation organisée" selon Aimé Césaire, aide le gouvernement français à mettre un terme aux mouvements anti-coloniaux aux Antilles et à la Réunion dès les années 1960.

Au moment où les pays africains accèdent à leur indépendance, les DOM-TOM représentent une menace pour la France qui craint de perdre de nouveaux territoires par la révolte. Ainsi, des milliers d'Antillais sont manipulés et encouragés à venir en Métropole pour servir le système métropolitain.

S'ils réalisent la violence de leur condition, cette brutalité réelle sera beaucoup plus claire pour leurs enfants.

Thierry Paulin appartenait à cette première génération des désenchantés, s'inscrivant ainsi, au même titre que Guy Georges, dans la rupture sociale de l'histoire française vis-à-vis des Afro descendants.

Pourtant, si Guy Georges fut longemps considéré comme un Antillais, son histoire filiale particulière diffère de celle de Paulin.

En effet, si ce dernier illustre le désastre de la politique post-coloniale française menée aux Antilles, Georges symbolise ce passé d'après-guerre marqué par l'existence, quasi oubliée, de certaines communautés afro descendantes non évoquées quant à la complexité de l'histoire politique française post 1945.

Entre les années 1950 et 1960, les études ethniques sont rares en France, mais il est important de préciser qu'une différence entre les profils des immigrés des années 60 et de ceux des années 80 doit être mise en lumière.

L'immigration noire des années 50 à 60, aussi bien africaine, antillaise que noire américaine est moindre mais surtout plus intellectuelle. On trouve parmi ces hommes et femmes des chercheurs, des penseurs, des étudiants qui se forment en France avant de rentrer, et les premiers travailleurs exploités par le système post-colonial français. C'est donc la dernière vague de travailleurs utilisés pour leurs bras qui surpassera les deux premières tout au long des années 1970 jusqu'au tout début des années 2000.

En 1964, Robert Delerm traite de la question de la population noire dans un article académique. Il indique que les Afro-Américains présents sur le sol français dans les années 60 sont d'anciens militaires. Toutefois, on trouve aussi des artistes et des intellectuels. Dans le sud des Etats-Unis, notamment en Louisiane, les Afro-Américains aux racines françaises sont nombreux.

Donc, en 1962, soit à la naissance de Guy Georges, 7 500 Afro-Américains vivaient dans l'Hexagone, dont la grande majorité fut constituée de soldats[2].

Ces Afro-Américains qui fuyaient la ségrégation tout au long de la première partie du Xxème siècle s'étaient aussi établis en Russie, en Allemagne, où ils jouissaient parfois d'un certain privilège et confort. Le grand-père maternel des frères Bogdanoff, Roland Hayes, Afro-Américain, incarne par l'histoire cette réalité.

Les artistes afro-américains qui migraient en France appartenaient à une classe sociale bien plus élevée et au mouvement de la *Harlem Renaissance*.

Néanmoins, des historiens américains précisent que la présence de Noirs Américains en Métropole daterait plutôt de 1803, au moment où les Etats-Unis rachètent le territoire de la Louisiane. Près de 200 000 soldats afro-américains se seraient donc battus pour la France durant la Première Guerre Mondiale[3]. Joséphine Baker, arrivée en France en 1925, incarne cette culture spécifique

---

2 Delerm Robert. La population noire en France. In: *Population*, 19e année, n°3, 1964. p. 524.

de la fin de la Première Guerre Mondiale.

Le fils d'un cuisinier-soldat Afro-Américain et d'une mère blanche française originaire du Maine-et-Loire, Georges appartient à un groupe noir inconnu. Son parcours est atypique et ne peut ni être comparé à celui de Paulin, ni à celui d'un immigré ou fils d'immigrés africains.

Ainsi, avant les ruptures sociales des descendants d'immigrés vivant en banlieues durant les années 90, Paulin et Georges incarnaient à eux seuls ce malaise amorçant l'arrivée d'un plus grand écart entre la France blanche et ses immigrés se sentant isolés et rejetés.

Thierry Paulin et Guy Georges, comme mentionné plus tôt, sont avant tout les produits des dérives de la société post-coloniale française.

Guy Georges voit le jour dans une France qui poursuit sa reconstruction depuis la fin de la Deuxième Guerre Mondiale. Dans cette atmosphère, le statut du Noir est quasi inexistant et les couples mixtes sont rares. À dire vrai, les femmes blanches

---

3 BEARDSLEY, Eleanor, "Paris Has Been A Haven For African Americans Escaping Racism", NPR;org, 2013 https://www.npr.org/2013/09/02/218074523/paris-has-been-a-haven-for-african-americans-escaping-racism

françaises amoureuses de ces hommes afro-américains, ou plus tard d'immigrés d'origine africaine ou antillaise, sont considérées comme des aventurières et stigmatisées par leur société.

Par le mélange, ces femmes perdaient leur valeur et pouvaient être répudiées par les leurs.

Au coeur de cette société post-coloniale française, à une période où les Africains viennent tout juste de gagner leur indépendance, l'homme noir est encore réduit au statut d'animal. Pourtant, contrairement à Paulin comme nous le verrons plus tard, l'héritage noir de Guy Georges l'isole davantage des autres communautés afro descendantes vivant en France à cette période. Il n'est ni Africain, ni Antillais mais Afro-Américain.

Au cours des années 1940 et 1960, le statut de l'Afro-Américain en France est supérieur à celui des Antillais francophones et des Africains. En effet, s'il est méprisé en terre américaine, il est un Américain aux yeux des Français.

Si les relations entre la France et l'Amérique du nord remontent à la période coloniale et eclavagiste du XVIème siècle, par le cas particulier du territoire de la Louisiane, les États-Unis et la France ont gardé des liens étroits.

La France du début Xxème est obsédée par le corps exotique, aussi bien africain qu'asiatique. Cette attirance improbable résulte de la grandeur des expéditions coloniales des anciens empires. Néanmoins, l'immigration afro-américaine est faible en nombre. De plus, ces immigrés sont très souvent des intellectuels et des artistes prospères. Puis, ces Noirs, même soldats, sont Américains et sont issus de la nation la plus puissante du monde.

En d'autres termes, les Afro-Américains, aux yeux des Français du Xxème et XXIème siècles, sont considérés comme des Afro descendants bien plus qu'acceptables car Américains, assimilés à une culture américaine occidentale, prospères et intellectuels. Les Afro-Américains les plus démunis quant à eux n'avaient pas toujours la possibilité de migrer.

Les années 70 et 80 en France

Les deux tueurs sont donc, par leur année de naissance, les enfants des années 80. Cette ère particulière représente un changement social, politique et économique important. S'ils sont fracturés dans leur enfance au sein de la France des années 70 conservatrice, les années 80 illustreront la liberté pour beaucoup.

Le commencement des années 80 n'est que le prolongement de la libération sexuelle menée tout au long des années 70. Le SIDA viendra réguler cette révolution des moeurs. Puis, la décade sera aussi rythmée par le crime, la délinquance, la violence, une misère humaine et spirituelle d'une jeunesse désenchantée qui plonge dans l'héroïne.

Mais cette France atteste d'un tournant politique puisqu'elle s'ouvre petit à petit. En effet, la politique mondialiste qui définit les années 2000, prend racine dans les années 1980 et les jeunes, comme Georges et Paulin seront les premiers témoins, surtout pour le dernier. À cette période, par l'expansion de la télévision, de la propagande culturelle américaine qui crée une hégémonie auprès des jeunes européens occidentaux, les premières phases de globalisation prennent place, notamment par la signature de traités politiques qui accentue cette ouverture. La France de ces années là s'ouvre au capitalisme dur et voit sa jeunesse entrer dans la mouvance du village global, et ce sont surtout les minorités auxquelles appartient Thierry Paulin qui, rendues invisibles en France, furent frappées, conditionnées par l'américanisation et l'afro-américanisation de leurs habitudes, coutumes.

S'américaniser est une alternative à l'assimilation traditionnelle dans laquelle les membres de ces minorités ne se retrouvent pas. Puisque les Noirs Américains sont un modèle car assimilés et occidentalisés depuis plusieurs siècles, ils ne représentent aucun danger pour les dirigeants.
Pourtant, malgré cette "ouverture" et ce nouveau libéralisme, les années 80 à Paris sont aussi marquées par les premiers chocs opposant descendants d'immigrés aux Français dits de souche. Ces derniers n'ont jamais été, en tant que peuple, familiers à la présence noire post-coloniale. En effet, dans les années 1950 et 1960, les Afro descendants avaient fait de la France un lieu de transit, et s'ils décidaient de rester, ils étaient cachés car conditionnés pour se soumettre. Toutefois, leurs enfants ne sont plus leur prolongement mais appartiennent à la deuxième génération. En ce sens, les deux groupes ne partagent pas la même mentalité.
Ces enfants d'immigrés sont, au même titre que les enfants Français blancs, exposés à cette mondialisation et veulent avoir une place dans ce pays qui est le leur, mais dont l'appartenance est niée car étant d'origine étrangère.

Dans ce choc de civilisation post-coloniale, la présence antillaise et africaine, aussi bien maghrébine que ouest et centre africaine, pose problème à l'État qui craint l'émergence de nouveaux groupes, dont la plupart, aussi bien à Paris que dans les autres grandes villes, furent massivement logés dans les banlieues.

Alors, des tensions naissent.

Les fils d'ouvriers blancs se sentent délaissés par l'État et blâment les fils d'immigrés pour leur misère. Des bandes de skinheads attaquent des Noirs dans la rue au coeur de Paris. Pourtant, les Afro descendants issus de la deuxième génération répondent.

Dès la fin des années 70 et au début des années 80, des groupes de bikers et rockeurs antillais se forment. Au même moment, une fraction des Black Panthers Français se crée, bien que cette frange n'ait jamais été reconnue par les Black Panthers des Etats-Unis.

Les clans s'affrontent.

Du point de vue politique, ces fils de migrants sont aussi exploités par le Front National qui les charge de tous les maux. Cette violence constante dans les années 80 s'illustre par une vague de crimes racistes, comme ceux du petit Toufik Ouanes en 1983 et de Malik Oussekine en 1986.

La plupart des Français au XXIème siècle se souvient des années 80 avec amour et nostalgie. Elles furent pour beaucoup des années fabuleuses, une période de rêves, d'amusement, mais pas pour les minorités noires qui furent piégées entre un début de mondialisation et une marginalisation, une invisibilité et un rejet social.
L'homme noir des années 80 en France est invisible et n'est pas représenté autrement que par la sexualisation de son corps. La négritude mise en lumière est afro-américaine car jugée respectable et admirable, surtout quand les figures présentées sont non seulement talentueuses mais aussi riches.
Georges et Paulin appartiennent à ce mouvement historique précis et évoluent donc au coeur d'un pays qui bascule du conservatisme des années 70 au libéralisme et mondialisme des années 1980. Ils sont les produits de la sphère des invisibilisés, et l'arrestation de Paulin chamboulera toutes les espérances de son groupe antillais. La violence barbare des deux tueurs en série atteste de l'éclatement, d'une part, de l'échec de la propagande migratoire antillaise vers la Métropole jugée comme positive par ceux qui la soutiennent, à travers Thierry Paulin, et de l'oubli, de la défaillance étatique envers les populations noires abandonnées

à elles-mêmes sans représentation par Guy Georges.
Les personnalités des deux assassins ne peuvent donc pas être entendues, comprises et étudiées en dehors du spectre historique quant à la fracture qu'ils incarnent. Georges et Paulin ne sont pas des monstres nés de nulle part, mais sont inscrits intégralement dans le déroulement de l'évolution historique, sociale et politique de la France.

CHAPITRE 2

RACE: IDENTITÉ ET DÉDOUBLEMENT

Avant toute chose, il serait important de préciser, pour les lecteurs français non familiers aux tournures anglophones que le terme race est utilisé dans cette étude dans un sens américain qui renvoie au symbole des *ethnic studies.* Il ne s'agit pas de nous réferer à la race dans le cadre d'une structure raciste, pyramidale indiquant la supériorité ou l'infériorité d'un groupe. Nous nous penchons ici sur la dynamique du groupe ethnique auquel les deux hommes appartiennent dans un spectre plus sociologique.

Si leur condition ethnique diffère, Paulin et Georges se rejoignent sur le fait qu'ils peinent à être totalement acceptés par un monde blanc et noir. Ils sont Métis, et ce croisement entre Noirs et Blancs, au sein d'une société blanche qui rejette, accroît en eux le phénomène de dédoublement. Cette réalité fracture leur psyché. Ils proviennent d'un mélange délicat car issus de deux communautés qui entretiennent des rapports tendus dans l'histoire contemporaine. Les médias des années 80, ainsi que le commissaire Francis Jacob qui procéda à l'arrestation de Paulin, l'ont décrit comme un Métis.

La complexité de l'identité de Paulin demeure incomprise dès lors qu'elle s'inscrit dans les profondeurs de l'histoire esclavagiste de la Caraïbe. En cinq siècles de traite et d'abus, l'espace caribéen aussi bien anglophone, hispanique, hollandais que francophone, a vu ses catégories raciales et ethniques changer au fil du temps. Si les autorités coloniales européennes ont tenu à maintenir une division en "noir" et "blanc", des millions de Caribéens ne peuvent pas, par leur condition de naissance, affirmer appartenir à un groupe plus qu'un autre car n'étant ni Noirs, ni Blancs, mais le produit des deux, ou parfois même des trois ou plus, si un héritage natif amérindien s'ajoute à l'équation. Des Caribéens tels que les habitants de Porto-Rico ou Cuba peuvent être faits de ces trois héritages. Pour les Occidentaux habitués à une vision du monde scindée en noir et blanc, ces brassages sont souvent incompris. Ainsi, certains Caribéens naissent noirs, d'autres blancs et certains multiraciaux.

Paulin n'est pas né d'un parent blanc et d'un noir, mais est ce que les Antillais francophones décrivent comme "chabin", un terme péjoratif qui serait l'équivalent de "light-skin", "high-yellow" dans le monde afro-américain. Ces termes font référence aux groupes d'individus à la peau extrêmement claire, pouvant, quelques fois passer pour des Blancs en raison de leurs lignées métissées. Malheureusement, dans le système pyramidal caribéen, le statut de ces Métis est perçu comme supérieur à celui des Afro descendants non mélangés, en raison d'une proximité à la blancheur.

Thierry Paulin est le produit d'un brassage entre esclaves et maîtres. Ses parents, Monette Larcher et Gaby Paulin, étaient tous deux des Métis ou des Afro-Caribéens multiraciaux. Monette est, par ailleurs, une femme à la peau très blanche ne possédant pas les attributs dits africains. L'ethnicité de Paulin est bien plus compliquée car directement liée à l'esclavage et à la violence de cet héritage. Pour Maître Hervé Page, avocat de Paulin en 1986 suite à une agression commise contre un dealer, interviewé par une radio française au lendemain de l'arrestation du *Tueur de Vieilles Dames* en décembre 1987, ce dernier est décrit comme "n'étant pas vraiment noir et pas vraiment blanc".

En réalité, la condition raciale et ethnique de Paulin était propre aux sociétés caribéennes, soit des structures difficiles à comprendre en dehors de ce système esclavagiste.

Paulin avait la peau extrêmement claire mais les traits négroïdes. Son héritage le positionne dans l'expérience noire en Métropole mais pas vraiment. Dans ce système hiérarchique de l'immigration vers la Métropole, les Antillais comme Jean-Thierry Mathurin et Thierry Paulin étaient méprisés mais, dans un schéma raciste, considérés comme supérieurs aux immigrés venus d'Afrique. Les parents de Paulin, comme beaucoup d'autres venus par le BUMIDOM, ne fréquentent pas les Africains et sont tournés vers la francisation. Paulin viendra fracturer ces divisions.

Par sa condition ethnique, et en avance sur son temps, il brisera ces séparations intraethniques entre Antillais et Africains en se liant d'amitié à des diplomates africains pour ses propres intérêts, bien évidemment. Dès les années 1980, Paulin dans son capitalisme, avait compris l'imporance d'abattre les frontières.
C'est en 1976 qu'il migre en Métropole, à l'âge de treize ans. Issu de la deuxième génération, il grandit, plus tard, dans un Paris où les fils d'Antillais et d'Africains évoluent ensemble. Paulin avait aussi des amants africains. S'il exploitait les hommes gays blancs pour leurs finances, il demeurait attaché aux gays noirs afin de préserver un sens communautaire propre à leur condition spécifique.
Par son héritage d'homme multiracial, Paulin a une facilité à entrer dans plusieurs mondes et espaces puisqu'il représente à lui

seul, le Blanc et le Noir, la nuit et le jour, le monde gay et hétérosexuel, les hommes et les femmes, la richesse et la pauvreté.
Son héritage particulier et son incapacité à s'intégrer au sein d'une communauté fixe joue un rôle dans la rupture psychique de sa personnalité. En effet, il était, par sa condition éthnique et raciale, un être naturellement duel.
Guy Georges est un Métis au sens plus direct du terme, car né d'un père Afro-Américain et d'une mère française blanche. Il est, par ailleurs possible que son père ait été déjà lui-même métissé, portant en lui un héritage blanc européen et natif d'Amérique du nord, puisque son père fut Afro-Américain. Ainsi, Georges serait, au même titre que Paulin, un métis portant en lui un héritage multiracial également.
Toutefois, Georges n'est pas perçu dans son entourage comme un Métis mais comme un Noir. Contrairement à Paulin qui provient d'une société afro-caribéenne dans laquelle il est le produit du métissage, Georges est plongé dans le monde blanc, sans aucune attache à un référent noir. Il n'aura jamais ce semblable, cet exemple qui lui est similaire, là où Paulin, malgré son identité compliquée, garde cette proximité à la "négritude" par sa famille,

mais aussi par ses amis, comme Mathurin et certains amants.
La violence de l'expérience d'abandon de Georges s'explique par le fait qu'il fut plongé dans la totalité de cette autre part blanche de lui-même, et donc dans ce rejet. Il baigne dans une dureté qui le fracture. Là, dans cette structure sociale et familiale, il est considéré comme un Noir bien qu'il ne le soit pas car étant le produit d'un Afro descendant et d'une mère française, mais cette part blanche lui est reniée par les Blancs. Cette dureté se révèle par, notamment, son changement de nom dans l'enfance, passant de Guy Rampillon à Guy Georges, prénom de son père, George Cartwright. Il est donc fait autre et rejeté parmi la moitié des siens. De plus, ses parents ne sont pas présents.
Madame Morin qui l'adopte l'objectifie affirmant avoir voulu "un petit Noir"[4]. Plus tard, elle dira de lui que sa paresse venait de son sang noir. La brutalité de ces propos à l'encontre de Guy Georges vont créer en lui une schizophrénie identitaire, une fracture.
Comme mentionné précédemment, Georges n'est pas un homme noir, mais un Métis qui porte en lui, à égalité, un héritage français et afro-américain. Toutefois, il est considéré comme noir, bien que son identité, ses moeurs, sa langue, son logos, sa culture, son

4 TOURANCHEAU, Patricia, "Un Petit Noir en Anjou", LIBERATION, 2001

tout soient profondément et uniquement liés à la France.
En effet, le fait de lui imposer une identité entièrement noire qu'il ne connait pas lui renie sa part blanche dans laquelle il évolue totalement car n'ayant jamais été exposé à une quelconque culture noire, est un choc total en lui. S'il ne connait pas cette dernière, il sera considéré comme un Noir, soit un problème qui nourrit un schisme, une incompréhension et probablement une rage intérieure envers la communauté au sein de laquelle il grandit mais qui le renie car possédant une mauvaise part génétique à cinquante pour cent. Donc, par sa condition de naissance, Georges est plongé au coeur de la folie dès lors que sa société lui retire le droit de reconnaitre l'évidence.
Pourtant, contrairement à Paulin qui naît en dehors de la Métropole, Georges voit le jour au coeur de celle-ci et est, dès la naissance, exposé à la brutalité de son système et de sa conception. Pour Paulin, la migration vers la Métropole scelle la succession de chocs émotionnels auxquels s'ajoutent la désillusion, la déception et la crainte sociale continuelle.
En effet, par sa condition particulière il vit aussi la schizophrénie qui le fracture car le menant à une dualité destructrice.

Tout d'abord, en tant que Martiniquais. Considérée comme l'une des îles les plus importantes des DOM, les Martiniquais de l'île, au même titre que les Guadeloupéens et Guyanais, sont des citoyens français. Présents sur ces territoires en raison de l'esclavage, le traumatisme d'où ils proviennent n'est jamais abordé pour des questions politiques. En effet, après leur déportation, leurs origines africaines sont gommées et attachées à une identité républicaine. Mais celle-ci ne reflète pas la réalité de leur quotidien et de leur histoire complexe. Lorsqu'il vivait encore aux Antilles, enfant, Paulin n'avait aucun problème à rencontrer des individus qui lui ressemblaient, partageant son héritage multiracial. Pour lui, et comme les autres, en pleine propagande neo-coloniale du BUMIDOM, il évoluait dans un spectre antillais typique. S'il devait savoir que leur société était basée sur un système pyramidal, notamment en raison de la blancheur de sa peau et de celle de sa mère, tous étaient Martiniquais. Toutefois, c'est en arrivant en Métropole que Paulin devient un autre. Plus il grandit, plus il fait face à la réalité brutale de l'envers du décor de la propagande néo-coloniale promue auprès des Antillais. Il n'est pas un Antillais noir, mais un Métis pour les Métropolitains. Toutefois, dans ce même métissage, il est traité comme un Noir, aussi méprisé qu'un immigré africain. Son identité française clamée comme une fierté encore dans l'île au lendemain du passage de Charles de Gaulle, n'existe plus une fois arrivé en Métropole car il y est traité comme un Noir, toujours dans son métissage. Ainsi, les privilèges auxquels les Martiniquais de sa génération croyaient être exposés se sont avérés être faux une fois venus en France.

Paulin, aussi décrit comme paresseux et réfractaire au travail au même titre que Georges, se retrouve plongé et piégé au sein d'une société qui brime les individus comme lui et son père.

Cette première différence entre identité antillaise et identité française, crée et symbolise cette première schizophrénie mentale, ce premier choc pour Paulin. Là où Georges nait dans la déconstruction claire car abandonné et adopté, Paulin naît dans cette même fracture par l'abandon familial, mais continue d'être destructuré au plus profond de son être dès son arrivée en Métropole et jusqu'à sa mort. Sur le plan identitaire national, Paulin vivant encore en Martinique appartenait à un tout, à un ensemble culturel martiniquais. Mais la France est pour lui son miroir qui reflète la difficulté de sa condition dans une société française raciste des années 80.

Puis, évoluant en France, Paulin n'est pas un Noir aux yeux des Blancs, car considéré comme un Métis, mais qui ne jouit d'aucun privilège car traité comme un Noir et donc placé au plus bas de la société. À l'armée dans laquelle son père l'envoie pour se soulager de la charge émotionnelle qu'il représente, Paulin subit la maltraitance, le rejet, les brimades de ses camarades qui l'attaquent en raison de sa négritude et de sa sexualité.
La rage de Paulin provient aussi du mensonge de sa mère-patrie qui, par la propagande néo-coloniale, lui promet un meilleur avenir en Métropole pour finalement l'abandonner, lui retirer ce qui lui est dû, le malmener et l'écraser. En réalité, Thierry Paulin, par son héritage racial et comme bon nombre d'Antillais, fut le produit d'une création coloniale, d'une construction destinée à sécuriser la domination européenne dans les îles et asservir.
C'est en migrant vers la Métropole par le BUMIDOM que les groupes antillais, surtout par leurs enfants, le réalisent, brutalement. Ces révélations peuvent mener à des crises psychologiques, à une schizophrénie, une dépression, une violence, mais aussi à la consommation de substances pour encaisser le choc migratoire.

Ces chocs conduisent à la folie si profonde qu'elle ne saurait être formulée car ne pouvant s'exprimer qu'à travers l'explosion de la rage, de la violence. Pour Paulin qui fut abandonné, placé, et laissé, cet échec migratoire contribue à l'explosion du reste de sa stabilité, des fragments de son identité pour faire de lui un être sans substance, qui n'est plus le produit d'aucune branche.
Notre étude ne cherche pas à dire que le métissage crée des serial killers ou qu'il justifierait les actions diaboliques commises par Paulin et Georges. En réalité, pour ces derniers, leur héritage multiracial est un danger psychique dès lors qu'ils évoluent au sein d'une société majoritairement blanche qui renie et ne cherche pas à faire une place spécifique aux individus semblables à eux.
Chez Paulin, qui n'est fait que de fragments, sa vie est marquée par l'élaboration de groupes, de sous-groupes basés sur la race, la classe sociale et le sexe. Il évolue dans une marge sociale dans laquelle il fut placé. Son parcours diffère des autres travailleurs du sexe Noirs de ce Paris des années 80. Il n'est pas totalement noir, et cela lui permet d'avoir accès à plus d'ouvertures là où les autres, non métissés n'ont pas la chance d'atteindre une échappatoire. Toutefois, dans la déconstruction de son être une

fois arrivé en Métropole, Paulin est plongé dans la solitude.
Ses parents qui l'abandonnent ou nourrissent un abandon déguisé ne le connaissent pas, ne le comprennent pas. Par ses idoles et vedettes de musique favorites, Paulin semble tenir à s'attacher avec ardeur aux femmes noires en terme de représentation pour ses performances sur scène. Il s'identifie à Eartha Kitt et admire la chanteuse Bibie qu'il imite à la perfection.
Pour Paulin, le choix d'Eartha Kitt n'est pas anodin.
L'artiste reflète la vie dramatique de Paulin. Née en Caroline du Nord en 1927, la chanteuse grandit dans le sud du pays.
Fille d'une mère d'ascendance afro-américaine et cherokee, elle est issue d'un viol de son père blanc biologique sur sa mère. Elle fut abandonnée enfant par sa mère qui se remaria à un homme noir, dès lors que ce dernier refusa d'élever une enfant métisse à la peau très claire. Ainsi, c'est auprès de tantes et d'oncles de la famille que la petite Eartha grandira de manière chaotique.
Là, elle subira les coups et les injures raciales en raison de son métissage mal accepté et perçu par les groupes afro-américains non mélangés qui souffraient de la ségregation. La vie de la légende musicale fut le miroir de celle de Paulin quant à la thématique du métissage désastreux et surtout, de l'abandon

familial subi.
Malgré tout, il tient à renforcer cette identité noire qui peut aussi lui être reniée par les siens qui le rejettent en raison de son homosexualité.
Jean-Thierry Mathurin, un homme noir comme lui, sera le plus grand amour de sa vie. Et comme nous le verrons plus tard, si Paulin avait des amants et amis homosexuels blancs, il approchait ces derniers par pur profit, demeurant proche de ses semblables homosexuels et noirs qui subissaient le double rejet aussi bien des Blancs que des Noirs. Mais si cette petite communauté à laquelle appartiennent Paulin et Mathurin tente de survivre par l'entraide et la fraternité, la pauvreté et les problèmes de substance dans lesquels la plupart des membres évoluent amoindrit davantage les esprits. Toutefois, Guy Georges est, par sa culture et son mode de vie, un homme blanc, aux moeurs blanches, car ayant été privé de tout contact avec son héritage noir, qu'il ne connait pas.
Il affectionne Jimi Hendrix, lui aussi métis afro-américain, mais est coupé de ses racines.
La violence en Georges provient du fait que ses moitiés lui sont retirées et qu'il peine à trouver une stabilité dans une société française non construite pour lui. Il se sait Français, mais cette

identité lui est niée car forcé d'être Noir. Et si sa peau est métisse, il ne sait où trouver de référent noir. Cette violence par sa condition de naissance scelle son sort.
Celle de Paulin s'accentue par la découverte des sous-catégories exploitées auxquelles il est forcé d'appartenir une fois arrivé en Métropole. Ce qui construit son unicité, sera perçu comme une tare car évoluant auprès d'individus, ses parents, qui le méprisent et ne l'estiment pas.
Paulin n'est pas vu comme un humain mais vit avec des étiquettes que ses sociétés lui imposent, aussi bien noire que blanche.
Par exemple, lors de son arrestation, la complexité de son essence est réduite à quatre termes: Métis, homosexuel, drogué, noctambule. Cette objectification de son être se retrouve aussi chez Guy Georges surtout par la manière dont Mme Morin le décrit.
Ces métissages en Paulin et Georges créent en eux des troubles de la personnalité qui se caractérisent par le fait qu'ils ne sont jamais eux-mêmes, ou peut-être qu'il ne leur est pas permis de l'être.
Par ces troubles dans l'héritage ethnique, puisqu'ils sont tout et rien à la fois et évoluant au sein d'une société non adaptée pour eux, les deux hommes parviennent facilement à parfaire le jeu du

dédoublement en jouant sur ces étiquettes qu'on leur impose.
Si cette réalité est plus visible chez Paulin, car bien plus extraverti, elle existe aussi chez Georges. Les deux hommes dissimulent leur véritable essence pour s'adapter, tels des chaméléons aux individus et situations qui se présentent à eux.
Ils ne sont que très rarement sincères, considérant les relations humaines comme un jeu par lequel chacun avance le pion qui l'arrange. Cette faculté d'adaptation est innée et fut héritée du système filial par lequel, toute barrière raciale, sociale ou économique peut être abolie si jamais l'un décide d'user parfaitement de l'art de la manipulation d'autrui.
Georges et Paulin ne révèlent jamais leur personnalité car cette dissimulation est leur force qu'ils nourrissent en partageant des bribes de leurs facettes, construites ou réelles, afin de se moquer de l'esssence de l'humain et de tourner les cartes à leur avantage.
La France, comme tout pays latin a, depuis la fin du Xxème siècle, promu la diversité ou le métissage comme source de progrès, de force nationale. Pour ce faire, les habitants des DOM-TOM, tels que les Réunionais par exemple, ont été exploités dans leur condition de Métis pour illustrer cette avancée.
Cette propagande s'avère fausse dès lors que les sociétés les plus

multiraciales sont davantage basées sur un schéma pyramidal violent au sein duquel les individus noirs les plus foncés et moins métissés demeurent au plus bas, là où les Euro descendants sont placés à la tête de la pyramide.
L'héritage racial de Thierry Paulin n'a rien de progressiste ou d'avant-gardiste dès lors qu'il provient de la violence de la traite esclavagiste.
Georges et Paulin ont tous deux une enfance marquée par un semblant de vie familiale stable qui couvre la solitude la plus profonde dans laquelle ils sont plongés.
Des études anglophones américaines ont su établir un lien entre les conséquences du racisme et les problèmes de santé de ceux qui endurent. Ces derniers, très souvent Afro-Américains, souffrent de maladies cardiaques, dûes au stress, mais aussi à des maladies mentales telles que la dépression notamment.
Par rapport à l'histoire, comme nous le verrons plus tard, Joy DeGruy sociologue et chercheuse afro-américaine affirme que l'esclavage a laissé des conséquences psychiques sur les populations afro-américaines modernes.
Il est clair que l'héritage multiracial des deux hommes a contribué à leur fonctionnement.

Premièrement, Georges et Paulin ne naîssent pas au XXIème siècle où le métissage est promu comme une avancée. Ils voient le jour dans le conservatisme, soit à une période marquée par l'importance pour la patrie européenne de préserver son héritage "pur". Les relations mixtes ne sont pas encouragées du tout.

Par conséquent, les deux hommes sont tous deux perçus comme des anomalies et portent le symbole de la honte, y compris pour leurs familles.

Leur placement dans la sphère des marginalisés provient aussi de ce métissage car cette marge dépeinte par les médias de leur époque comme le fief de l'échec social et de tous les dangers, est surtout l'espace rassemblant tous les laissés-pour-compte de la bonne société; les pauvres, les homosexuels, les métis, les perdus, les orphelins, dans leur lumière comme dans leur obscurité.

Ni Georges, ni Paulin ne pouvaient être compris car ils représentaient à eux seuls un surplus de conjonctions naturellement opposées, soit une charge pour les autorités sociales. Cette capacité à s'adapter à tous les citoyens témoigne d'une absence d'identité claire pour les deux hommes.

Chez Paulin, cette crise identitaire s'accentue dès son arrivée en Métropole en 1976 à l'âge de 13 ans.

Dès sa petite enfance, il souffre de l'abandon et connait sa première fracture. Toutefois, comme nous l'avons mentionné précédemment, son identité nationale était claire en Martinique. C'est donc par l'immigration que Paulin découvre la violence du système français. Là, son identité caribéenne est fracturée, déconstruite car il est forcé d'appartenir à plusieurs catégories qui déterminent sa valeur marchande ou non.

Par opposition, Georges n'est pas venu d'un ailleurs pour comprendre cette violence. Il porte sa haine au coeur depuis la petite enfance.

Que dire sur la question multiraciale, donc? Il faut attendre l'an 2000 aux États-Unis pour que les citoyens américains aient le droit de se définir comme "multiraciaux" sur le Census annuel. Une étude menée par l'ADAA (Anxiety and Depression Association of America) au cours de la dernière décennie 2010, indique que 25% des individus se considérant comme multiraciaux avaient été déclarés dépressifs. Que dire alors de la proportion en France, dans les années 80 pour les quelques individus métissés qui ont sombré dans le silence?

Le contexte français quant au métissage est différent car la France est un pays latin et non anglosaxon.

En effet, les pays colonisateurs d'Europe du nord tels que l'Allemagne, l'Angleterre, ou la Hollande, ainsi que leurs descendants en Amérique du nord, ont valorisé les structures de séparation, les politiques d'apartheid. Les Latins ont quant à eux exploité l'idéologie du métissage et du mélange pour contrer toute idée de révolte.

Là où l'Américain domine par la séparation, le Latin renforce son autorité par le mélange qui doit être maintenu au sein de la sphère des colonisés et non de l'élite. En ce sens, la France a toujours tenu à faire une distinction claire entre les Métis et les Noirs et a souvent promu, au sein de son histoire, des Métis comme héros ou symboles de réussite.

Cette promotion du métissage et du vivre-ensemble permet ainsi de ne pas avoir à traiter de la question du racisme, de la domination ou de la colonisation, dès lors que la théorie coloniale préfère englober et réunir, plutôt que de séparer en prônant la distinction des groupes raciaux, pourtant réels. Georges et Paulin sont tous deux les produits de cette politique française mais ont enduré, au cours de leur vie, les conséquences de cette propagande mensongère historique et sociale par les pires manifestations.

Selon l'ADAA, les individus multiraciaux souffrent de problèmes d'identité car vivant dans une société américaine obsédée par la race et le racisme[5].

Pourtant, le même fonctionnement s'opère en France mais de manière dissimulée. Georges et Paulin en sont les preuves.

Toutefois, un autre problème demeure. En raison du manque de représentation de ces Métis, semblables à Georges et Paulin, ces derniers sont placés sous le specte noir sans que personne ne prenne en compte les caractéristiques qui leur sont propres.

Il y a, au sein même de l'héritage de Georges et Paulin, une schizophrénie innée, liée à l'identité qui s'installe, surtout chez Georges. C'est dans les deux cas la violence du rejet du monde blanc qui fracture ces deux futurs tueurs puisqu'ils évoluent dans une société où l'homme noir est rendu invisible. Et chez Paulin, en raison de sa sexualité, c'est l'abandon de la communauté noire qui l'affecte.

---

5 ADAA, "Multiracial Communities", Anxiety and Depression Association of America
https://adaa.org/find-help/by-demographics/multiracial-communities

Cette réalité est encore pire pour le Métis qui est perçu comme une honte. Donc, les deux tueurs évoluent dans un système politique qui leur est hostile.
Il serait faux de penser que tous les Métis seraient destinés à commettre l'horreur, mais ceux qui évoluent au sein du racisme et du rejet s'exposent à un danger. Comme nous le verrons plus tard, Guy Georges manifestera une violence à l'encontre d'autrui bien plus tôt que Paulin. Il faut attendre 1982 pour que ce dernier extériorise, là où Georges avait, dès l'adolescence dans les années 1970, attaqué deux de ses soeurs adoptives.
Puisqu'il grandit au sein d'une famille où le tabou racial n'est pas abordé, la violence de Georges provient de son incapacité à mettre des mots sur sa haine intérieure causée par l'abandon de ses parents. Il n'est pas compris et est perçu comme un objet par Mme Morin. Il est indibutable que sa colère à l'égard de la société soit directement nourrie par son statut de jeune métis.
En 2003 déjà, à la suite d'enquêtes menées entre 1994 et 1995 à l'Université de Caroline du Nord de Santé Publique, le Washington Post rapportait les propos du Professeur Udry quant au rapport entre dépression, anxiété et identité métisse chez les adolescents. Ce dernier admet que leurs études menées au milieu

des années 90 ont permis de mettre en lumière les quelques raisons qui expliqueraient cette dépression chez ces jeunes.

Ces derniers subissent, en raison de leur métissage, un grand trouble quant à l'appartenance identitaire, surtout s'ils sont issus du mélange noir et blanc, en raison de la brutalité des échanges historiques entre les deux parties. Puis, ces troubles d'appartenance mènent à un manque de confiance en soi et donc, à l'isolement social[6].

Et ces manifestations se font sentir davantage durant la phase spécifique de l'adolescence, au moment où les individus se forment. Georges, qui avait été abandonné auprès d'une mère nourricière dominatrice qui l'objectifie, étant privé de référents noirs, et à qui sa part blanche française fut niée fut directement frappé par l'horreur de sa condition, le démontre.

En Angleterre, si les enfants métis sont, au même titre que les enfants noirs, sur-représentés dans le système carcéral de mineurs, ils sont invisibles dans le monde de la psychiatrie dès lors que leur héritage n'est pas analysé différemment de celui des

---

6 "Mixed-Race Teens Prone To Depression", WASHINGTON POST, 2003
https://www.washingtonpost.com/archive/politics/2003/10/31/mixed-race-teens-prone-to-depression/ff04745b-be4a-473d-ac59-58abdda8845d/

Noirs. Par mépris, ces enfants métis sont classés, par défaut, sous la catégorie noire et ce même si certains ont été davantage exposés à la culture blanche car élevés par un parent blanc[7].
Bien que le statut du Métis ne soit pas fortement évoqué dans les études de criminologie, quelques oeuvres littéraires françaises ont traité de ce sujet.
Alexandre Dumas, lui-même quarteron, évoque cette question pour la première fois dans *Georges* publié en 1843. Quelques années auparavant, en 1837, Victor Séjour partageait *Le Mûlatre.*
Guy Georges fit face à la pire forme d'abandon. Il ne peut s'identifier à aucun héritage, mais doit vivre avec le poids d'appartenir aux deux clans, par son sang. Pourtant, malgré son métissage rare pour cette époque, il ne s'inscrit nulle part, et ne sait pas qui il est, car vivant un double rejet, soit celui de ses parents, mais aussi celui de sa mère-patrie.

---

7 "Mixed-Race Children 'Are Being Failed' In Treatment of Mental Health Problems", THE GUARDIAN, 2014
https://www.theguardian.com/society/2014/feb/23/mixed-race-children-mental-health

CHAPITRE 3
SERIAL KILLERS ET INVISIBILITÉ NOIRE DANS LA PSYCHIATRIE BLANCHE

Qu'il s'agisse de documentaires ou de rapports judiciaires, les experts psychiatres se heurtent à un problème. Ces derniers refusent, par tabou ou par peur, de traiter de la question raciale comme étant le facteur déclencheur de folie dans la psyché des deux hommes. Si cette question sensible était menée à être développée, alors, tous réaliseraient que Georges et Paulin ne sont pas des monstres sortis de nulle part mais les produits de la politique sociale française. Pour Paulin, comme nous le verrons plus tard, le mépris du corps psychiatrique à son égard (équipe menée par Serge Bornstein) qui bâcle son rapport, est lié à la continuité de l'invisibilité de son groupe ethnique en France dans les années 80. Chez Georges, la question est effleurée superficiellement.

En réalité, la folie meurtrière des deux hommes renvoie à la charge du poids historique, au rejet dû au racisme, car ayant été confrontés à la dureté du racisme systémique français de leur époque.

Ils sont tous deux abandonnés et sujets à une succession de rejets qui prennent source dans le racisme. Si ce lien entre race, histoire et santé mentale n'est pas abordé en France par souci d'éthique, des études américaines ont prouvé le contraire. En France, Frantz Fanon, psychiatre Martiniquais, fut le seul à avoir écrit sur les effets du colonialisme sur la psyché de ceux qui l'ont enduré, comme nous le verrons plus tard dans notre étude.
Plus tôt, aux Etats-Unis, W.E.B. DuBois sociologue Afro-Américain traitera de cette question dès 1903. Quelques décennies plus tard, James Baldwin abordera aussi ce thème.
Si les auteurs Afro-Américains ont laissé un héritage littéraire concernant la psyché noire, Frantz Fanon est le seul Français à avoir étudié ce problème en profondeur.
Dans le monde psychiatrique et médical français, le Noir y est totalement invisible. Ses thématiques, son fonctionnement, ses mécanismes, et ses traumatismes propres à lui sont sciemment ignorés car considérés comme étant des facteurs non essentiels dans le schéma médical de reconstruction de l'individu malade. Le Noir n'est pas reconnu comme un être malade avec ses tares uniques.

Mais cette invisibilité n'est pas uniquement propre au monde de la psychiatrie, mais à la médecine dans sa généralité.
Récemment, grâce aux réseaux sociaux, les paroles d'Afro descendants ayant été victimes de mauvais traitements dans le monde hospitalier ont été mises en lumière. La majorité des victimes était des femmes noires d'origine africaine et antillaise. Ces dernières ont dénoncé un mépris à leur égard, et furent souvent accusées d'affabulation lorsqu'elles évoquaient leurs symptômes et douleurs. Ce phénomène est plus connu comme le Syndrome Méditerranéen, qui signifie que les personnes non-blanches ont tendance à exagérer leurs symptômes, faussant ainsi le diagnostic qui devrait être établi.
En 2017, la jeune franco-congolaise Naomi Musenga en fut l'une des nombreuses victimes. Alors qu'elle souffre d'une hémorragie, Musenga appelle le SAMU à l'agonie mais est méprisée par son interlocutrice qui ignore ses symptômes.
La médecine européenne du XIXème siècle est nourrie par l'idéologie esclavagiste pure et dure. À la même période aux Etats-Unis, des médecins pratiquent des expériences sur les corps des femmes noires avec pour seul argument le fait que ces dernières soient insensibles à la douleur.

En Italie, Cesare Lombroso, considéré comme le père de la criminologie italienne moderne, mesure les crânes des Italiens du sud qu'il juge bien plus naturellement innés à sombrer dans le crime en raison de leur état sauvage naturel causé par leur pourcentage de sang africain et asiatique. À ses yeux, les anciens habitants du Royaume des Deux Siciles appartiennent à la race inférieure. En Angleterre, c'est le corps irlandais qui y est attaqué dans un racisme ethnique qui perdurera jusqu'au moment des *Troubles*. En France, la fascination morbide pour le corps de la Vénus Hottentot illustre ce racisme médical assumé.
Toutefois, ces siècles sont reconnus comme l'apogée de la culture médicale européenne, mais cette avancée est ancrée dans la violence du colonialisme et dans l'obsession européenne pour la domination. Et cet héritage colonial médical a perduré jusqu'au XXIème siècle par l'existence des préjugés du Syndrôme Méditérranéen par lequel Naomi Musenga connut la mort.
Entre les deux hommes, Thierry Paulin fut la plus grande victime de ce mépris médical français quant à l'inexactitude de l'analyse médicale de la complexité de sa personnalité. Son rapport fut non seulement confié à un seul expert psychiatrique n'ayant pas la compétence nécessaire pour comprendre les éléments qui

touchent à l'expérience noire et qui fut aussi en proie aux préjugés homophobes et racistes, liant l'homosexualité de Paulin à sa perversion criminelle. Le cas de Paulin ne fut jamais traité avec sérieux ni même confronté entre plusieurs experts avec sérieux.

Là, les maladies mentales dont il souffrait ne furent pas prises en considération. Paulin n'est pas né psychopathe, mais il souffrait d'une dépression nerveuse grave depuis l'enfance causée par le traumatisme laissé par l'abandon parental et par le manque d'amour, soit une tare psychologique qui fut ignorée.

Celle-ci s'est accentuée à mesure que le tueur fut exposé à l'échec de sa vie personnelle, au racisme et au rejet de ses deux communautés aussi bien blanche que noire en raison de sa bisexualité. Cette dépression non traitée crée en lui un trouble qui le plonge dans une psychose et une psychopathie.

De plus, le premier organe atteint par le virus du SIDA qui le touche est son cerveau, et cette maladie contribue aussi à sa perte des sens de la réalité, ce qui aurait pu expliquer l'improbable violence physique déployée contre les victimes ainsi que son raisonnement et mode de vie qui ne firent aucun sens sur le plan rationnel.

Paulin fut présenté comme un monstre calculateur et effrayant, mais sa maladie mentale ne fut pas mise en avant.

Il fut, comme Georges, déclaré responsable de ses actes, sans être reconnu malade.

Lors de la diffusion de son reportage dans l'émission *Faites Entrer L'Accusé* à l'été 2004, Serge Bornstein qui eut la charge de l'étudier dès 1987, déclare que Paulin n'est pas un tueur en série car n'ayant pas de motivations sexuelles. Ainsi, puisque l'institution de Bornstein fut la seule à avoir analysé Paulin, personne ne connaîtra jamais l'étendue principale des tares psychiatriques de Paulin.

Dès lors qu'il fut étudié par des individus jugés importants dans le monde médical, mais aux idées pré-établies le concernant, ces derniers firent abstraction totale de la profondeur de ses complexités psychiatriques, puisqu'à la recherche d'éléments pouvant valider leurs codes d'analyse révolues et inadaptées au profil d'un Paulin.

Pourtant, par son mode de vie improbable, son obsession pour l'immédiateté, et son raisonnement quant à son désir d'assassiner pour récolter de grandes sommes, prouvent bien que Paulin ne réfléchissait pas comme un être humain rationnel.

Ses actions mettent en lumière l'aggravation brutale de l'état de santé d'un jeune homme laissé-pour-compte par sa famille, qui n'a jamais su surpasser le choc de l'abandon de ses parents à sa grand-mère. L'état psychologique de Thierry Paulin est, depuis l'enfance, aussi fracturé que celui de Guy Georges.
Rien en Paulin, surtout dans ses actions, ne fait appel ou écho au rationnel.
Le Tueur de Vieilles Dames était gravement, psychiquement, malade. Toutefois, ces tares ne furent pas mises en avant par les médias, puisque les journalistes réclamaient du sensationnalisme. En ce sens, Paulin devait entrer dans le cadre de la bête de foire, de cet homme métis travesti et sanguinaire, mais non comme un malade psychique. Ainsi, en raison du racisme, de l'homophobie et du dégoût causé par la violence des meurtres envers les pauvres vieilles dames, le public n'a pas voulu comprendre le commencement de la fin dans la mentalité de Paulin, bien que ce travail d'analyse des profils psychotiques fut toujours mis en place pour les autres tueurs en série blancs, même pédophiles.
En exploitant ses facteurs extérieurs liés à sa sexualité et à son mode de vie, les journalistes et experts trouvèrent leur justification aux meurtres, et en profitèrent pour dissimuler leur

incompétence.
Puis, par le silence de la communauté antillaise qui n'a pas osé se révolter face au traitement médiatique raciste car appeurée à l'idée d'être rejetée par les autorités françaises en vue d'être intégrée, le cas Paulin fut baclé et réduit à une succession d'inexactitudes soutenues par les experts psychiatres et par les médias. Le mépris de Paulin qui n'a pas eu droit à une analyse digne de ce nom s'inscrit dans la continuité du dédain de l'expérience traumatisante des Noirs en France. Cette question ne peut, et ne doit pas être abordée dès lors que les autorités ne croient pas en un lien clair entre la violence de ces tueurs en série et la réalité de la violence que représente l'expérience noire en Occident. Dans le champ médical français, les Noirs sont une fois de plus laissés en arrière-plan. Chez Paulin, la question de la dynamique familiale d'où il provient n'est pas abordée. Aucun expert ne s'est posé la question de connaitre le degré d'impact de l'histoire de l'esclavage sur les fonctionnements des sociétés afro-caribéennes de la génération du tueur. Qu'a-t-il subi pour en arriver là? Quel fut l'impact du déracinement culturel? Comment a-t-il vécu le rejet lié à sa bisexualité et à son identité?

Toutes ces questions sont laissées à l'abandon pour dresser un portrait gras de Paulin présenté comme un simple tueur de vieilles dames sanguinaire sans qu'aucun élément violent dans sa vie ne l'ait poussé à devenir un assassin de masse, si jeune.

Chez Georges et Paulin, la question raciale est la fondation de leur folie car ils sont le symbole de l'explosion mentale causée par le rejet lié au racisme. Cette dureté nourrit en eux une haine et une rage qui s'accompagne d'un sentiment de manque d'estime d'eux-mêmes. Le racisme cause des troubles psychiques et comportementaux graves.

À dire vrai, le cas de Paulin perturbe le milieu psychiatrique dès lors que l'institution médicale française se pense supérieure ayant réponse à toutes les questions socio-politiques. Puisque Paulin surpasse leurs attentes, ces derniers réalisent aussi les limites de leurs structures. La médecine se doit d'évoluer au même titre que de nouvelles populations arrivent. Elle n'est pas statique mais en perpétuelle évolution. L'ignorance médicale vis-à-vis de Paulin témoigne donc du statut inexistant de l'homme noir qui, dans les années 80, n'a pas sa place dans le système médical psychiatrique français.

Que dire du silence de la communauté antillaise? Celui-ci traduit une problématique profonde. Conditionnés à l'intégration dans la société française, se refusant à reconnaître la difficulté éprouvée par le rejet, les membres de la communauté antillaise ont vécu l'arrestation de Paulin comme une trahison. Ce dernier eut détruit tous leurs efforts face au regard approbateur français. Pourtant, le traitement médiatique raciste de cette affaire a servi à dissimuler le problème d'invisibilité, d'invisibilisation brutale à laquelle les communautés afro descendantes de l'époque étaient vouées.
Avec Guy Georges, le même malaise quant à l'évocation du problème racial et de son impact sur la psyché demeure mais à la fin des années 90, la France fait preuve d'une petite ouverture.
En effet, l'affaire Guy Georges explose à la fin des années 90, à l'approche du nouveau millénaire et le Noir est déjà un peu plus visible dans la société française. Si les psychiatres explorent la question du racisme et de l'abandon, ils ne vont pas jusqu'au bout par tabou. Pour l'institution judiciaire française, le cas de Georges est bien plus clair à leurs yeux. Il fut abandonné à la DDASS, là où Paulin est victime d'un abandon familial déguisé. Georges est aussi issu d'un métissage plus compréhensible car fils d'un parent

noir et blanc. Paulin, quant à lui est le fruit d'un métissage qu'ils ne comprennent pas. Ces institutions parviennent donc à établir un lien distinct entre l'échec de l'enfance de Georges à sa criminalité mais là encore, la question noire demeure ignorée bien qu'elle soit la source de sa folie.

Si nous nous approchons du nouveau siècle, le statut du Noir dans la psychiatrie, au moment de l'arrestation de Georges, n'a pas changé depuis la capture de Thierry Paulin.

Ainsi, les questions liées à l'expérience noire suscitent un désintérêt total de la part des psychiatres qui cherchent, une fois de plus, à ce que les complexités de Georges puissent concorder avec leurs idées pré-établies.

Dans les deux cas, Georges et Paulin sont tous deux soumis à l'invisibilisation constante de la question noire au sein de la psychiatrie française. Là, les problématiques liées à l'héritage ethnique sont à éviter.

Le métissage, dans les cas de Paulin et Georges, est un drame et représente un choc qui contribue à la fracture et à la folie meurtrière des deux hommes car il nourrit leur rage sociale.

Chez Paulin, le choc provient de l'effet migratoire. Comme nous l'avons expliqué, il part d'un tout en Martinique, bien que fragmenté par la dysfonction familiale, pour finir morcelé en France métropolitaine, dès lors que son identité raciale est fracturée. Il parvient à comprendre les rouages du système français en réalisant que ses semblables, venus par le BUMIDOM, sont exploités socialement par ces emplois dégradants et éreintants.

Il passe donc de la totalité d'un Martiniquais, au statut d'un Noir méprisé et laissé au bas de la société française. Pire encore, dans ce spectre de mépris, il est davantage déconstruit puisque l'accent est mis sur son métissage.

La violence et la rage de Paulin ne sont pas apparues soudainement. Les meurtres de vieilles dames ont été l'aboutissement d'une explosion psychologique finale liée à plusieurs facteurs. Paulin éprouve une sensation de déracinement, d'isolement social, il est orphelin bien qu'ayant un semblant superficiel familial qui ne se soucie pas de lui, endure la précarité car ne parvenant pas à s'intégrer dans une société qui le rejette, il subit le racisme et les brimades à l'école et à l'armée, soit des événements traumatisants qui le poussent à l'extrême et à commettre des assassinats de masse, comme s'il était à la recherche de son propre suicide, de sa propre mort.

Sa haine envers cette société qui ne l'accepte pas le pousse à développer un mépris pour la race humaine qu'il manipule par le biais de l'argent ou par celui de la mort qu'il distribue.

Pour Paulin, la violence est une vengeance perpétuelle qui est la conséquence indubitable des conflits de questions raciales.

Aux yeux des Français qui font la distinction entre le Noir et le Métis, Paulin jouit d'ouvertures que ses semblables homosexuels Noirs n'ont pas, car non métis.

Aussi, ce métissage qui provient de l'horreur esclavagiste, le désensibilise de lui-même, à tel point qu'il ne devient plus rien.

Il vit une dualité constante et apprend à maîtriser l'art de la manipulation en utilisant ce background racial comme base d'infiltration de différents milieux.

Paulin représente cette toute première crise générationnelle au sein d'une société française des années 80 marquées par toutes les dérives sociales, allant du crime, à l'abandon de groupes marginalisés et à l'émergence d'un capitalisme brutal.

L'affaire Paulin qui aurait dû permettre aux intellectuels, aussi bien Antillais que Métropolitains, de traiter de ces questions raciales et sociales fut tue, puisque les institutions juridiques et médiatiques n'ont pas su répondre à leurs interrogations.

Le jeu de la presse a donc permis de couvrir l'incapacité et la faiblesse des ressources d'expertises psychiatriques qui auraient dû permettre de comprendre la complexité de Paulin, entièrement liée à l'expérience noire et à la dureté traumatisante du post-colonialisme.
Cette invisibilisation des groupes de Paulin est anormale dès lors que ces derniers étaient considérés comme des citoyens français. En ce sens, le groupe psychiatrique aurait dû prendre connaissance de l'existence d'une différence entre le traitement de douleurs de patients afro descendants et euro descendants. Nous pouvons donc nous poser la question de savoir si l'objectif principal dans l'affaire Paulin était de comprendre en vue de guérir et de reconstruire ou bien d'exploiter, de mentir à des fins dissimulatrices et de manipulations d'opinions politiques?
L'Antillais des années 80 n'existe pas dans les structures françaises, encore moins en médecine, car soumis à une objectification. Par le traitement d'exploitation que représente le BUMIDOM en tant que système, le Caribéen est considéré comme un sous-homme. Il est fait pour servir, évoluer dans l'ombre. Ainsi, aux yeux de la psychiatrie, on retire à ces populations antillaises le droit d'être reconnues comme des humains à part

entière dès lors que la dynamique communautaire, leurs structures familiales et leur rapport à l'histoire et à la société sont ignorés en raison du mépris social auquel ils sont exposés.

En ce sens, le cas de Thierry Paulin est un choc pour les psychiatres car ces derniers ne sont pas préparés.

Et son expérience migratoire chaotique contribue à une nouvelle frustration qui nourrit la violence et le crime dans lequel il sombre.

En 2017, une étude publiée dans la revue The American Journal of Psychiatry, réputée, oppose la condition des groupes nés sur le sol américain comme les Afro-Américains aux migrants Afro-Caribéens. Cette recherche se concentre sur les effets psychologiques causés par le choc migratoire.

On constate alors que le fait d'immigrer provoque un trouble sur la psyché. Nous ne parlons pas ici d'une migration choisie et privilégiée, mais du parcours difficile d'individus pauvres cherchant à avoir une meilleure vie, ailleurs.

L'immigration pour les populations afro descendantes est un processus de dissociation et de violence.

Par l'assimilation, ces derniers doivent renier leur essence noire ou l'amoindrir afin de rentrer dans la majorité européenne.

De plus, cette essence africaine ou antillaise qui est la leur est également soumise à des jugements car perçue comme étant un facteur réducteur.

Cette étude comparée, donc, nous apprend alors que si les Afro-Américains endurent le stress et un traumatisme dû à la continuité de l'héritage esclavagiste et du racisme, les Afro-Caribéens ont plus de chance d'être exposés à des crises d'anxiété et d'user de substances toxiques. Ces réalités s'empirent en fonction de la provenance du pays de ces immigrés. Ceux qui proviennent des pays caribéens anglophones sont moins stressés que les hispaniques qui souffrent à cause de la barrière de la langue[8].

Paulin, en tant que Caribéen, a une expérience historique et migratoire similaire à celle des Afro-Américains et aux autres Caribéens. Il n'est pas préparé à migrer en Métropole. Il est récupéré par sa mère, puis envoyé en France pour y vivre avec son père dans une optique de marchandage. Si sa mère le reprend après l'avoir abandonné chez sa belle-mère, Paulin n'est pas

8 Williams DR, Haile R, González HM, Neighbors H, Baser R, Jackson JS. The mental health of Black Caribbean immigrants: results from the National Survey of American Life. Am J Public Health. 2007 Jan;97(1):52-9. doi: 10.2105/AJPH.2006.088211. Epub 2006 Nov 30. PMID: 17138909; PMCID: PMC1716238.

acceuilli par Monette par amour. Cette dernière espère tout simplement toucher une pension de la part de Gaby.
Le père qui avait refait sa vie refuse de payer car Monette n'a pas élevé Paulin. Donc, il préfère venir le chercher, refusant de dépenser de l'argent mensuellement. Paulin l'enfant ne fut pas préparé au choc social français des années 70 et 80. Encore moins au racisme et à la discrimination qu'il subit adolescent, surtout dans l'armée.
Son parcours d'assimilation est chaotique puisqu'il est exposé au fait que sa communauté antillaise est destinée à être exploitée et que la France est un pays bouché où les trajectoires de vie de beaucoup d'immigrés sont déjà tracées.
Pour Paulin qui provient du trouble, cette triste experience s'est avérée réelle . Sa seule perspective de réussite sociale se trouve dans la poursuite de jobs ingrats.
Nous avons donc chez le jeune Martiniquais, à peine âgé de treize ans, un adolescent abandonné et sans repères, victime de marchandage familial qui vit une nouvelle séparation par la migration en étant forcé de s'adapter à une société et à un environnement dans lequel il sera rejeté.

Tout comme Georges, Paulin intériorise avant l'explosion ultime. Mais contrairement à Guy Georges, il s'exprime clairement sur ses douleurs par la parole. Donc, par le parcours migratoire seulement, Paulin avec son background chaotique, était déjà sujet à un risque de destruction psychologique terrible.
Le Tueur de Vieilles Dames n'a pas cherché d'aide car il n'avait aucune structure médicale, sociale, présente pour lui, soit pour les garçons de sa condition.
En plus du métissage, Paulin est davantage troublé par la violence du rejet social. Selon l'étude précédemment mentionnée publiée par l'American Journal of Psychiatry, les immigrés ont plus de risques de développer une schizophrénie, soit des troubles qui se manifestent jusqu'à la troisième génération.
De plus, ils sont sujets à développer des risques de psychose en raison du sentiment d'échec. Paulin est pris au piège et rejette le système d'exploitation salariale. L'étude suggère donc que le racisme et la discrimination sont des facteurs qui nourrissent la psychose au sein des communautés immigrées en raison du stress mais surtout de l'isolement, de la discrimination et du sentiment d'échec.

Cette problématique de traumatisme mental liée à l'immigration est aussi présente chez les déplacés de guerre, les réfugiés de Syrie ou d'Europe de l'est plus tôt dans les années 90.

Pour les Afro descendants, cette violence est pire en raison du poids historique, du racisme, de l'exclusion mais surtout du fait que les effets de ces tares sur la psyché noire soient ignorés, méprisés et non pris en compte par le monde psychiatrique français.

Paulin en tant qu'enfant fut comme bon nombre de jeunes antillais, conditionné pour idéaliser la Métropole.

Dans un article publié en 2009, François Duparc parlera de ces tactiques néo-coloniales de mensonges imposées aux populations étrangères appellées en France pour être exploitées et les qualifiera de "séduction traumatique par l'image"[9]. Paulin est à chaque fois exposé au désenchantement. Il quitte un mauvais endroit pour retrouver pire ailleurs et sa vie est davantage désastreuse qu'elle se fonde à chaque fois sur le rêve.

---

9 DUPARC, François, "Traumatismes et migrationsPremière partie : Temporalités des traumatismes et métapsychologie" dans Dialogue 2009/3 (n° 185), pages 15

Thierry Paulin veut échapper à sa condition. La Martinique est l'endroit où il vit la maltraitance mais par le voyage, il rêve d'une meilleure vie en Métropole. Là, cette séduction traumatique par l'image le détruit car il vit dans le ghetto toulousain du Mirail, où les perspectives d'avenir des jeunes fils d'immigrés sont vouées à l'échec.

Après des années de conflit et de rejet, il rêve de Paris, mais, il y trouvera la précarité, la drogue, la débauche sexuelle, la misère intérieure, les meurtres de masse et la mort par le SIDA.

En 2015, un autre rapport psychiatrique publié dans la revue L'*Information Psychiatrique* traite du cas particulier des Antillais et du risque accru de schizophrénie chez leurs descendants de deuxième génération. Il y est précisé que les Antillais ne sont pas des immigrés par le statut car Français mais sont psychiquement choqués par la "transplantation". L'auteur reconnait que peu d'études cliniques se sont penchées sur la psychologie des immigrés en France. Cette publication date de 2015 alors que dire de la condition psychiatrique française vis-à-vis des Antillais à l'ère de Paulin?

La science a prouvé, par les survivants de l'Holocauste, que le traumatisme historique se transmet de génération en génération.

Il en est de même pour les Afro descendants avec l'esclavage. Paulin, par son identité martiniquaise, provenait d'une famille brisée par les conséquences de la traite, comme nous le verrons dans les chapitres suivants.

Joy DeGruy, sociologue afro-américaine, parle du syndrôme post-traumatique de l'esclavage. (Post-Traumatic Slave Syndrom) en 2005. Elle soutient que les Afro-Américains sont victimes d'un syndrome traumatique psychologique intergenerationnel qui mène à des comportements violents chez les individus de ce groupe qui se caractérisent par des problèmes d'estime de soi, de valeur, par une rage et une intériorisation de codes rabaissants établis durant l'esclavage.

Ces comportements brutaux sont aussi amplifiés par le racisme et l'exclusion.

Frantz Fanon, également Martiniquais, considère l'oppression sociale et surtout coloniale/post-coloniale comme source de maladie mentale. Il le vit en Algérie, mais aussi au sein des autres structures sociales soumises à l'oppression coloniale, prouvant qu'il existe un lien clair entre fracture mentale et poids historique. Ces études démontrent également que les patients afro descendants doivent être traités à part tant leur dynamique

complexe ne peut pas être comprise à travers le spectre blanc.
En ce sens, Paulin fut analysé par Serge Bornstein avec des méthodes psychiatriques destinées à être appliquées sur un patient blanc. Ces brutalités sociales et historiques de la condition de Paulin furent ignorées, ceci expliquant ainsi la raison pour laquelle l'analyse de son profil criminel fut baclée. En tant qu'homme Afro descendant, il n'importait pas pour la médecine.
Georges et Paulin sont donc tous deux multiraciaux et Afro descendants. Ils portent en eux un héritage qui représente une violence et qui nourrit une grande partie de leur rage meurtrière.
Pourquoi? La plupart des études cliniques concernant les groupes multiraciaux se focalise sur le mélange blanc et noir mais par sur les autres groupes. Georges et Paulin sont le produit du Blanc et du Noir, et ce mélange constitue une brutalité historique dès lors que les deux clans s'opposent. Si leurs parcours se ressemblent, dès la naissance, les deux tueurs sont exposés à un rapport de dominant/dominé, de rancoeur, de rage dissimulée, d'envie.
En étant le fruit du Blanc et du Noir, les deux portent en eux la tension. Ce rejet, surtout chez Guy Georges, favorise un trouble identitaire occasionné. Il subit une grande violence dès lors que sa part blanche, la culture française dont il fait totalement partie lui

est niée par pur racisme. Paulin, lui, provient d'un foyer métis par l'esclavage mais caribéen par la culture, dont l'identité des membres est sans cesse soumise à des modification sociales.
On dit de ces Martiniquais qu'ils sont Français, mais une fois arrivés en Métropole, ces derniers sont traités comme des citoyens de seconde zone. Paulin vit donc le choc traumatique de l'expérience migratoire en plus de la déconstruction de son être, car perdu dans une société blanche qui le détruit.
Toutefois, bien que Caribéen, il est possible que Paulin et sa famille aient vécu le rejet sur leur île en raison de leur peau claire et de leur métissage. Monette Larcher, mère de Paulin, ne porte pas les traits d'une Afro descendante et a la peau si blanche qu'elle pourrait passer pour une femme blanche.
Ces femmes caribéennes issues de la condition de Monette sont appellées "enfants du diable", car étant le produit des esclavagistes békés et des esclaves noirs.
Ces hommes et femmes clairs sont parfois attaqués et insultés par les leurs. Rien n'indique que Monette l'ait subi, mais le climat de violence qu'elle impose à son fils par le maintien de la maltraitance nous permet de le croire.

Paulin extériorise la haine liée au trouble de cet héritage l'exploitation d'autrui, par la création d'opportunités mais par les meurtres, bien évidemment. Toutefois, il semble se considérer comme un homme noir à part entière. Ce fait se confirme par le choix de ses partenaires. Ses amants blancs sont exploités pour leur argent, mais il éprouve un plus grand attachement envers ses amis et amants noirs. Mathurin est son meilleur ami.

Guy Georges est introverti et est un Blanc dans son identité, mais cette réalité lui est retirée car il est à moitié noir. Dans cette dualité, contrairement à Paulin, Georges est encore plus seul car il n'a pas de référent afro descendant dans son entourage.

Donc, les deux hommes ont du mal à développer leur identité car métis dans une société blanche raciste. Ils ne peuvent pas trouver de place dans un monde divisé par le clivage noir/blanc. Le choc du métissage, le racisme et le rejet sont l'une des fondations principales derrière la naissance des personnalités criminelles des deux tueurs en série; soit des faits ayant été ignorés, non abordés par le corps judiciaire et psychiatrique, surtout chez Paulin.

CHAPITRE 4
LA FAMILLE

Les drames familiaux qui marquent l'enfance des deux tueurs sont la deuxième fondation expliquant le début de leur folie meurtrière. La famille est la première société au sein de laquelle un enfant apprend à laisser ses marques. Elle doit, par nature, être un socle de protection contre les attaques extérieures.
Or, cette défaillance et dysfonction familiale sont encore pires pour Georges et Paulin dès lors que la société dans laquelle ils évoluent leur est hostile.
Ils sont tous deux Métis, mais surtout Afro descendants à une époque où le Noir est invisible. Par leur condition de naissance, ces individus étaient doublement exposés à la dureté de la charge sociale, mentionnée par W.E.B. DuBois (*Double Consciousness*). Ces deux tueurs n'ont pas reçu les bonnes armes de protection psychologique qui auraient pu les aider à faire face au monde extérieur puisqu'ils ont été abandonnés.
C'est donc chez Paulin que cette problématique d'abandon parental est pire car présente mais dissimulée.

Au lendemain de l'arrestation de son fils, Gaby Paulin, encore à Toulouse apprend l'affaire en écoutant la radio. À la mi-décembre, les policiers le convoquent pour une audition.
Ce dernier déclare ne pas comprendre les articles de presse qui présentent Paulin comme un enfant abandonné. Pour le patriarche, Paulin est un jeune homme impulsif qui n'a manqué de rien. Pourtant, les témoignages d'avocats, de connaissances, d'amis de Paulin et amants mènent tous au même point. Le tueur de vieilles dames souffrait de carences affectives graves.
Paulin est plongé dans une folie dès la naissance car victime d'un système d'abandon familial et de maltraitances déguisés.
Il naît le 28 novembre 1963 à Fort-de-France et n'est pas désiré.
Il est envoyé vivre chez sa grand-mère paternelle, Maman Jojo, patronne d'un bar et d'une épicerie à l'Anse-à-l'Âne à seulement dix-huit mois jusqu'à ses dix ans. Il grandit sans sa mère, n'a jamais vu son père et évolue sans repères. Il subit donc un abandon qui ne sera jamais reconnu comme tel par ses parents qui nourrissent un déni.
Puisqu'il fut toujours "entouré" par des membres de sa famille aux Antilles, il ne pouvait être abandonné. Pourtant, il accusera sa mère, plus tard, de son enfance qu'il jugeait "déguelasse", en

arguant que tous souhaitaient se débarrasser de lui. Ce rejet brutal cause sa première fracture et le plonge dans une dépression qui le poursuivra jusqu'à sa mort précoce. Toutefois, ce qui le détruit davantage est le fait que cet abandon ne soit jamais reconnu par ses parents. Puis, âgé de dix ans, après l'avoir laissé, Monette le récupère mais pas par amour maternel.

Dans cette Martinique en crise des années 70, la mère peine à joindre les deux bouts. En reprenant son fils, elle sait qu'elle pourrait toucher une pension de la part de Gaby. Paulin grandit donc dans un environnement d'objectification et de marchandage au coeur d'un système de maltraitance familiale pervers basé sur une structure pyramidale quant à la valeur des individus qui s'y trouvent. Enfin, une fois chez sa mère, il découvre un nouveau foyer, un beau-père qui le méprise et de nouveaux enfants, sa mère étant enceinte.

Là, Paulin est maltraité, considéré comme inférieur et ne bénéficie pas du même traitement de valeur que les autres.

En effet, Monette accorde bien plus de temps à ses enfants qu'elle encadre et valorise car nés dans le mariage et dans le respect des traditions chrétiennes. Donc, l'isolement, la marginalisation sociale dans laquelle Thierry Paulin vit adolescent et jusqu'à la fin de sa courte vie, commence tout d'abord dans sa propre famille. Mais, en raison du cadre de stabilité, cette maltraitance ne peut pas être prouvée dès lors que les parents refusent de l'admettre. Au sein de sa propre famille, Paulin est le mouton noir, l'enfant problématique que tout le monde méprise. Il exaspère sa mère et son père qui le blâment mais ne l'écoutent pas.

Au moment où Gaby Paulin le prend pour Toulouse, Paulin découvre le même système familial. Il est bien accueilli au départ par sa belle-mère qui le considère comme un fils, mais très vite, ses problèmes liés aux carences refont surface.

Si Gaby Paulin prend le temps de suivre le parcours scolaire de son fils, s'il tente de remplir ses devoirs de père, l'arrivée de Paulin en Métropole créera une plus grande distance entre le père et le fils. En effet, contrairement à son demi-frère et à sa demi-soeur nés en Métropole, Paulin arrive d'un extérieur et découvre le malaise social. Il réalise très vite qu'il ne peut pas suivre le parcours professionnel de son père qui est exploité par le BUMIDOM. Il rêve d'autre chose. Gaby Paulin craint que les frasques de son fils ne remettent son intégration en question.

En tant qu'immigré, Gaby de son vrai prénom Guy, a une image à maintenir auprès de la société.

Pourtant, par sa condition sociale et sa vision du monde en tant qu'immigré de deuxième génération, Paulin fait exploser toutes les conventions. Là où son père préfère se soumettre pour ne pas attirer l'attention sur lui, Paulin ne cache rien et s'expose au grand jour. En tant que père antillais, exploité, Gaby souhaite que son fils ne fasse pas d'histoires et qu'il suive le parcours qui lui est destiné. Mais le refus de Paulin de travailler ou de s'engager dans ces voies précaires destinées aux Antillais, marque le rejet du conditionnement social imposé. Si Gaby Paulin veut se convaincre que l'exploiation mène à la réussite, Thierry Paulin détruit ces arguments puisqu'il comprend les rouages du système dans lequel il évolue. Non, pour des Antillais comme eux, le système du BUMIDOM n'est pas une chance sociale.

Tout comme Monette, Gaby Paulin exaspéré par l'attitude de son aîné en raison de la fracture générationnelle, décide de faire des démarches pour envoyer Paulin à l'armée avec une année d'avance. Il déclare aux policiers lors de son audition de décembre 1987 qu'il s'est vu "soulagé" par le départ de son fils.

Cet isolement est encore un abandon de la part de Gaby Paulin qui souhaite se séparer de son fils qui vient troubler son ordre familial et son intégration dans la société française blanche.

Dans ce schéma d'hypocrisie, les carences affectives de Paulin qui fut un enfant abandonné, sont ignorées et ce dernier est, comme dans la famille de sa mère, marginalisé. On opposera son comportement à celui de ses frères et soeurs bien plus sages tout en omettant de reconnaitre que ces derniers sont nés dans un cadre familial stable ayant pour fondation l'amour entre deux parents. Les autres enfants ont été protégés par la stabilité, ce qui indique que la maltraitance envers Paulin était non seulement voulue mais aussi maintenue. Ce nouveau rejet scelle son sort.
Ce traumatisme de l'abandon chez Paulin affecte sa relation avec Mathurin. Il tente de dominer ce dernier.
Jean-Thierry Mathurin fut, selon Paulin, l'amour de sa vie. Lorsque son meilleur ami décide de rompre tout contact avec lui en 1985 après leur retour de Toulouse, Paulin vit cette séparation comme un abandon de plus et éprouve un grand choc. Il tente de se suicider, laisse une lettre blâmant ses parents et Mathurin pour ses souffrances. Plus tard, il fit une crise d'hystérie en string dans la rue.
Paulin porte en lui tous les malaises sociaux d'une jeunesse antillaise aux parents exploités. Il vole son père car il est en manque d'argent, peine à trouver une voie, et souffre d'un

manque de reconnaissance sociale. Sa vie d'adolescent à Toulouse ne lui promet pas un avenir radieux puisqu'il grandit dans la cité du Mirail, lieu de marginalisation où les fils d'immigrés non désirés sont parqués. La colère de Paulin adolescent est aussi nourrie par ce manque de structures d'une société qui est hostile aux jeunes comme lui. En d'autres termes, il est forcé de se rendre dans le cercle des marginalisés car ne trouvant pas sa place au sein de la société français, mais il est aussi encouragé à évoluer au milieu de cette sphère par son isolement familial.

Cette violence se révèlera au moment où il rentre à l'armée.

En raison de la maltraitance et du racisme, il commet le braquage au couteau de la rue Ledru-Rollin à Toulouse en 1982.

Paulin vit donc le poids de plusieurs problèmes qui affectent sa psyché. Tout au long de son enfance et adolescence, Paulin n'est pas écouté, et ses parents n'établissent aucun dialogue avec lui.

Il est surtout blâmé pour ses actes bien qu'étant encore un jeune adolescent sans repères, en manque affectif.

Pour Guy Georges, l'abandon est clair car il implique les autorités. Sa mère le laisse au même titre que son père, il est placé à la DDASS puis adopté par une famille blanche. Il est physiquement et clairement différent des autres enfants, contrairement à Paulin qui est mal aimé, soumis à un abandon émotionnel total mais dissimulé en raison de l'hypocrisie familiale.

La Figure du Père

Cartwright et Paulin sont deux pères afro descendants métissés issus de sociétés post-esclavagistes, l'une aux Antilles et l'autre aux États-Unis. Ils sont donc deux hommes affectés par la violence historique dans leurs choix de vie.

Ils abandonnent tous deux leurs responsabilités de pères et laissent les femmes gérer la pire décision qui puisse être imposée à une mère. Ils sont responsables de ces malheurs familiaux.

Mais Gaby Paulin est aussi placé dans un cercle social vicieux.

Il doit tenir une image de "bon immigré", par peur de perdre son travail et sa stabilité. Il déploie toute son énergie au maintien de cet ordre et n'a pas le temps de se plonger au coeur des souffrances de Thierry Paulin qui l'exaspère par ses crises d'humeur.

Face à la pression sociale en tant que père antillais, Paulin père ne peut pas commettre d'erreurs.

George Cartwright ne peut assumer Guy Georges en raison de la même pression sociale et historique.

Les dynamiques familiales des deux hommes soulignent l'importance du traumatisme social vécu par les afro descendants qui ne vivent pas selon des codes rationnels.

En raison du racisme et de l'envie d'être acceptés par la majorité, les enfants sont souvent les plus sacrifiés au profit de l'image donnée à l'extérieur.

Ces derniers peuvent éprouver l'une des pires formes de solitude même au sein du foyer car n'étant pas considérés à leur juste valeur humaine par leurs parents. La pression sociale endurée mène à la négligence entretenue des parents envers leurs enfants et Gaby Paulin illustre notre propos.

En 1903, W.E.B. DuBois, le sociologue afro-américain, avait déjà traité de cette question propre à la psyché noire américaine, donc post-esclavagiste. Dans The *Souls of Black Folk*, il explore le thème de la *Double Consciousness* (la conscience double) traduit en français par la "charge sociale". Ce concept renvoie donc à la spécificité à laquelle bon nombre de groupes afro descendants issus de sociétés post-esclavagistes font face.

Dans le cas de DuBois, les Noirs Américains sont tiraillés entre l'envie de demeurer fidèles à leur héritage noir et celle de devoir se conformer à une société blanche, américaine afin d'atteindre un statut de respectabilité.

La figure paternelle, aussi bien chez Georges que chez Paulin, est inexistante. En tant que jeunes hommes noirs afro descendants évoluant dans une société encore conservatrice, les deux tueurs auraient eu besoin d'un référent paternel qui les aurait préparés à la dureté de la vie. En effet, la folie meurtrière des deux est aussi nourrie par le manque de repères, il est vrai, mais surtout par l'échec social, soit une réalité causée par l'absence d'une figure paternelle.

Gaby Paulin a maintenu une différence de traitement entre les enfants de sa nouvelle femme et Thierry Paulin. Il lui était facile de le condamner en le comparant aux autres, mais ces derniers avaient une moindre chance de mal tourner puisqu'ils grandirent dans un cadre. Le patriarche abandonne son fils à l'armée par peur que l'attitude de ce dernier ne vienne troubler ses efforts d'intégration au sein de la société, comme mentionné précédemment. En vérité, les problèmes reprochés à Thierry Paulin adolescent ne sont pas aussi dramatiques que ce que l'on pense. Il était clair que son cheminement de vie allait s'orienter vers une profession plus inhabituelle, dans la mode, le monde du vedéttariat, la communication. Or, si Paulin avait été encouragé à nourrir ses dons et ses passions par ses parents, il aurait réussi et serait devenu la source libératrice de sa famille.

La crainte de Gaby Paulin s'explique aussi par une peur du rejet de la part de la société française de son époque. Le père n'est qu'au début de sa vingtaine lorsqu'il arrive en France par le BUMIDOM. Comme la plupart des hommes et des femmes antillais de sa génération, ces insulaires exploités furent conditionnés pour rentrer dans les rangs. Malgré l'abus, Guy "Gaby" Paulin était parvenu, à force d'acharnement, à construire une vie et à créer une stabilité pour ses enfants et sa nouvelle épouse à la force de ses mains meurtries, car maçon.

La majeure partie des hommes antillais de la génération de Gaby fut élevée pour vivre dans la crainte de la France métropolitaine, en cultivant un dédoublement, comme nous le verrons dans les prochains chapitres. Mais Thierry Paulin refuse cette soumission et choisit une voie "décalée" pour s'en sortir.

Ce qui lui fut présenté comme une réussite, s'avéra être un cauchemar social.

Gaby Paulin est un père qui abandonne au même titre que Monette.
En effet, s'il blâme Paulin pour son comportement, il refuse de réaliser que cette rébellion en son fils fut causée par l'abandon paternel qui dura douze ans. Durant les douze premières années de sa vie, Paulin fut privé de la présence d'un père. Puis, lorsque les problèmes s'accrurent, sa seule solution fut de l'envoyer à l'armée pour s'en débarrasser. Au moment où Gaby acceuille son fils en 1976, ce dernier est encouragé par sa nouvelle femme à reprendre contact avec Paulin selon ses dires, mais la motivation est surtout financière. Il refuse de payer une pension et préfère prendre son enfant. Comme pour Monette, Paulin est, dès le départ, une nouvelle charge émotionnelle qu'il rejettera.
Au cours de son audition de décembre 1987, Gaby Paulin avait déclaré aux policiers avoir planifié un retour en Martinique au début des années 60. C'est pour cette raison spécifique qu'il reconnut Thierry Paulin, là où Monette ne le fit pas. Face aux autorités, Gaby Paulin nourrit l'image d'un père responsable pour l'apparence mais s'éloigne de Paulin face à chaque nouvelle difficulté, blâmant ce dernier encore adolescent, comme la cause de ses propres problèmes.

Dans les moments les plus difficiles, Gaby Paulin n'hésite pas à mettre son fils à la rue, ce dernier devant quelques fois vivre dans des foyers. Le père du tueur cherche la moindre occasion pour fuir ses responsabilités vis-à-vis de son fils.

Le comportement de Paulin dans son adolescence n'est que la conséquence directe de son abandon. Une étude datant de 2015 intitulée *The Consequences of Fatherlessness* (les conséquences de l'absence paternelle) révèle que les enfants, adolescents provenant de foyers sans pères sont plus exposés à la précarité, plus disposés à user de substances illégales, et à abandonner l'école. Ils sont aussi sujets à développer des troubles émotionnels et de santé. Cette étude s'est notamment basée sur les données officielles du Département Américain de la Santé entre 1993 et 2011.

Comme pour Guy Georges, l'enfance chaotique mène à une délinquance dans l'adolescence. Chez Paulin, cette délinquance est mineure car il s'agit de vols de machines ou d'engins qu'il revend. Il faut attendre 1982 pour que le braquage prenne place.

Là encore, il ne frappe pas les vieilles dames mais brandit un couteau. Georges quant à lui agresse physiquement au moment où Paulin se résout à voler des engins.

Guy Georges est donc celui qui démontre des signes d'une violence inouïe dès sa jeune adolescence. Après avoir tenté d'assassiner deux de ses soeurs adoptives à l'aide d'une barre de fer, il agresse sexuellement dès la fin des années 70 pour violer au tout début des années 80, là où Paulin attendra 1984 pour commettre ses premiers meurtres.

L'escalade vers la violence n'est pas étonnante. Ils ont non seulement grandi sans figure paternelle, soit un choc encore plus dur car étant de jeunes garçons afro descendants dans une société blanche qui les criminalise, mais les violences qu'ils infligent peuvent aussi être interprétées comme un appel à l'aide, comme le besoin d'attirer l'attention d'une autorité supérieure afin d'être maîtrisés.

En effet, si Thierry Paulin fut condamné par l'horreur des crimes commis, un problème demeure. Personne dans son entourage n'a su le déterminer à s'arrêter, démontrant ainsi, par son escalade meurtrière combien il fut plongé dans une solitude totale.

Pire encore, s'il fut accusé d'avoir entraîné Mathurin dans les meurtres de 1984, nous constatons aussi que Paulin lui-même, adolescent et jeune adulte, n'a jamais rencontré un homme ou une femme l'ayant convaincu de suivre une meilleure voie.

Il vivait une solitude profonde.

Plus Paulin poursuit ses crimes, plus cette violence met en lumière sa solitude. Il ne compte pour personne.

Ses amis de soirées ayant témoigné dans la presse pour le condamner avaient malgré tout bien profité de ses faveurs. Aucun parmi eux ne s'est interrogé sur la provenance des finances de Paulin. Ils ont profité des fêtes, des boissons et du cadre que le tueur pouvait offrir mais ne se sont pas souciés de son état personnel, pas même ses amants gays en qui il s'était confié sur son manque d'amour.

En comparaison, Mathurin refuse d'aller plus loin dans le crime car pensant à sa mère qui l'aime. Paulin n'a pas cette réflexion qui le pousserait à cesser de tuer. Pire encore, à la suite d'une dispute violente avec sa mère Monette en 1984 à qui il reproche son enfance, cette dernière ne le reverra qu'en septembre 1987, à sa sortie de prison. Il lui rendit visite sur son lieu de travail.

La mère qui ne l'avait pas vu pendant trois ans ne l'a pas cherché. Avant d'apprendre son arrestation à la radio en décembre 1987, Gaby Paulin n'avait plus revu son fils depuis 1985 au même titre que ses autres enfants. Aucun des deux parents n'a agi pour remédier à cette déchirure envers Paulin.

Ce silence signe leur rejet et mépris de cet enfant autrefois abandonné.
Pour Guy Georges, l'adolescence accroit sa folie car il s'isole pour chasser et démontre une agressivité plus tôt que chez Paulin.
Si ce dernier est un laissé-pour-compte, il peut jouir d'une reconnection communautaire, même culturellement.
Georges est non seulement fracturé, mais aussi soumis au racisme dans un espace où il n'a pas de référent noir. Il doit apprendre à faire face à l'hostilité de sa société seul, sans qu'aucun père noir ne soit présent pour lui apprendre les codes nécessaires afin d'avancer. Il faudra attendre 1984 et surtout 1985 pour que Paulin inflige la mort par pure méchanceté, là où Georges avait manifesté cette même cruauté et haine dès la moitié des années 70.

L'Abandon de Cartwright

George Carwright n'a-t-il pas fui ses responsabilités en raison de son statut? Bien qu'en France, il était encore en fonction dans l'armée américaine et même si Harry Truman rédige un décret qui y abolit la ségrégation en 1948, le même racisme profond demeure.

Guy Georges naît en 1962 et est aussi le fruit du danger.
En effet, George Carwright est un homme noir qui entretient une relation avec une femme blanche. Ces unions peuvent mener aux lynchages aux Etats-Unis. Au moment de sa naissance en 1962, les Afro-Américains sont encore traités comme des citoyens de seconde zone. La majeure partie des soldats noirs réalise des tâches subalternes et Cartwright, qui était cuisinier, en fut la preuve. Nous sommes au coeur du Mouvement pour les Droits Civiques et les hommes afro-américains vivent des tensions et un danger constants.
À dire vrai, Cartwright risquait sa vie en fréquentant Hélène.
Sept ans avant la venue au monde de Guy Georges, des hommes noirs payaient le prix fort pour leur sexualité qui était criminalisée.
En 1955, Emmett Till, un jeune adolescent de quatorze ans originaire de Chicago, passait ses vacances dans le Mississippi chez des membres de sa famille. Il fut accusé à tort par une femme blanche du nom de Carolyn Bryant, de l'avoir sifflée et touchée de manière inappropriée. Le jeune garçon fut lynché par le mari de cette dernière, le beau-frère de ce dernier, ainsi que par d'autres hommes blancs jamais identifiés.

Le visage méconnaissable de Till fit le tour du monde à l'époque.
Donc, Cartwright était issu de cette réalité là et fut contraint, par le poids historique d'échapper à ses responsabilités. Ce dernier aurait pu être assassiné en raison de sa couleur si sa relation avec Hélène avait été découverte.
De plus, le soldat était aussi un homme marié qui transgressait l'interdit.
Si les intellectuels afro-américains du début du Xxème siècle trouvent émancipation en France, les soldats noirs pouvaient être pendus ou envoyés en prison après la Deuxième Guerre Mondiale si accusés de viols de femmes européennes. Cette peur perdura bien après, jusque dans les années 60, au moment de la naissance de Georges.

La Figure De La Mère

Georges et Paulin ont été abandonnés par la mère et ont attaqué des femmes. Si les deux mères des meurtriers diffèrent fortement par leur héritage culturel, ethnique et par leur dynamique, elles se reflètent. Hélène Rampillon et Rose-Hélène Larcher dite Monette sont toutes deux des produits fracassés de leur société.

En réalité, l'abandon de ces mères et leur maltraitance envers leurs fils s'expliquent par le statut social de ces femmes issues de cette génération.
Hélène Rampillon et Rose-Hélène Larcher ont toutes deux été détruites par le poids historique, religieux et patriarcal de leur environnement, car ayant eu un comportement qui s'opposait aux codes sociaux établis à l'époque. Rampillon est une fille de militaire et rêve d'émancipation. Originaire du Maine-et-Loire, elle n'est pas épanouie dans son village et tombe sous le charme de militaires américains, blancs et noirs. Ces hommes qu'elle choisit sont son échappatoire à une vie familiale probablement dysfonctionnelle et violente. Selon son frère, oncle de Guy Georges venu témoigner auprès des policiers en 2001, le rejet de Georges ne fut pas motivé par le racisme. En effet, pour l'oncle, Hélène et leur mère (grand-mère maternelle de Guy Georges), ne pouvaient être racistes. Il les décrivit comme des femmes légères, sexuellement libérées qui accumulaient les aventures avec des hommes noirs[10].

---

10 "Quand Guy Georges Etait Braqueur...", Le NOUVEL OBSERVATEUR, 2001

https://www.nouvelobs.com/societe/20010320.OBS2603/quand-guy-georges-etait-braqueur.htm

Hélène Rampillon menait donc, une vie dissolue, mais ses choix étaient d'autant plus choquants à l'époque puisqu'elle avait des relations sexuelles avec des Noirs Américains, soldats, soit un fait inédit pour sa société d'antan. Si rien n'indique qu'Hélène Rampillon se prostituait, elle ne devait pas, aux yeux des Français de son village, être considérée comme une femme respectable, car sexuellement libérée.

Hélène fuit une violence familiale par la recherche d'hommes.

Et il semblerait que le même schéma s'opère pour la mère de Paulin.

Monette est indubitablement le produit de l'esclavage. Sa violence psychologique et son rejet de Paulin qu'elle frappe quelques fois est une conséquence de ce post-esclavagisme. Gilda Graff, dans une étude publiée en 2014, révèle que les effets de la violence familiale des groupes ayant été soumis à une structure post-esclavagiste, se traduisent par une mauvaise parentalité basée sur la relation maître-esclave, soit un rapport de dominant-dominé[11].

---

11 Graff, G. (2014). The intergenerational trauma of slavery and its aftermath. The Journal of Psychohistory, 41(3), 181–197.

Dans sa vingtaine, Paulin se serait plaint à des amants de sa maltraitance déclarant qu'à tout juste treize ans, sa mère avait pour habitude de le forcer à travailler au champ dans des conditions violentes. La mère de Paulin fait preuve d'une grande dureté, d'une rage envers cet enfant qui lui ressemble pourtant physiquement. Cet endurcissement est lié au fait que Monette soit sous pression car sa condition de femme est une création de la brutalité de l'esclavage.

La société antillaise ne laisse pas de place aux hommes, tout comme celle des Afro-Américains.

Cette attache à la figure de la grand-mère au moment de l'abandon est typique du reste de l'héritage africain où l'ancêtre était perçu comme un gardien de la sagesse. Pourtant, cette masculinisation toxique de la femme caribéenne et afro-américaine est considérée comme positive car s'opposant au schéma patriarcal traditionnel qui brimerait les femmes.

Monette n'avait que seize ans au moment de la naissance de Paulin et n'était pas préparée à devenir mère. La femme caribéenne est perçue comme un totem social (*poto mitan*)pour les mauvaises raisons. Cette force n'en est pas une, mais un mécanisme de défense, de survie face à une société antillaise post-esclavagiste qui lui est hostile. L'agressivité de Monette envers Paulin et son manque de transmission signifient qu'elle a grandi elle-même dans un univers de brutalité et d'abus.

Pourquoi la femme caribéenne est-elle perçue comme le pilier central? Premièrement, l'esclavage réduit l'homme caribéen au statut de travailleur et de reproducteur. Les sociétés post-esclavagistes le déstructurent de son rôle de père, d'être humain et ces responsabilités sont placées sur les femmes. Mais, comme Edouard Glissant le mentionne dans son ouvrage *Le Discours Antillais* (1981), l'importance de la femme dans ces sociétés est aussi le souvenir d'un héritage africain perdu, car beaucoup de structures pré-coloniales étaient matriarcales dès lors que la vie sociale s'organisait autour de la femme. Ce mode de fonctionnement s'est reproduit dans les structures antillaises durant l'esclavage. Toutefois, il est bon de rajouter qu'avant l'arrivée des colons, l'homme africain a toujours eu une place importante, créant ainsi un espace d'équilibre. Donc, le mythe de la *fanm potomitan* relève de la conséquence de l'exploitation à son égard et non d'un choix venant de ces femmes caribéennes.

La maltraitance de Monette provient aussi des jugements sociaux vis-à-vis de la femme. L'une des raisons qui motive son rejet de

Paulin est la religion. Chrétienne évangélique, elle eut le malheur de mettre au monde en dehors des liens du mariage. Thierry Paulin représenta la honte sociale à ses yeux dont elle voulut se débarrasser. Nous insisterons sur ce point plus tard.
La femme antillaise comme Monette, est aussi vue comme la base de tout car la société esclavagiste ne pourrait pas exister sans elle. Elle est forcée, par le viol, de reproduire des enfants de manière automatique afin de créer de nouveaux travailleurs pour le compte des esclavagistes.
Dans les maisons, la femme caribéenne, surtout en Martinique, est aussi la nourricière des enfants blancs créoles. Il ne peut y avoir de provision d'esclaves sans la femme noire. Donc, par la brutalité de l'histoire, elle ne peut être propriétaire de son propre corps qui est régulé par le système dans lequel elle évolue.
Monette est une femme *poto mitan* qui est forcée de prendre une décision seule face à l'abandon de Paulin. Si elle se marie avec un pâtissier de l'île avec qui elle aura cinq autres enfants, elle divorcera et sera menée à élever ses enfants seules, bien après le départ de Paulin en 1976. C'est en 1980 qu'elle emménage à Nanterre et qu'elle parvient à acheter un pavillon. Son ex-mari ne semble pas s'impliquer dans la vie de ses enfants et comme pour

toutes ces autres femmes antillaises, sa société familiale fonctionne autour d'elle.

Comme le rappelle Myriam Cottias, sous le système esclavagiste, puisque les enfants qu'il produit appartiennent légalement aux maîtres, le père perd sa place, est fracturé et est forcé d'abandonner ses responsabilités aussitôt que l'enfant est laissé[12]. S'il serait faux d'affirmer que tous les hommes antillais négligent leur famille, il est indubitable que leur comportement soit l'héritage traumatique de la période esclavagiste. L'esclavage fracture l'homme antillais en tant que mâle mais surtout en tant que père. Son isolement de l'équilibre familial pré-colonial est remplacé par celui de la femme *poto mitan*.

Une fois arrivée en France en 1980, probablement par la dernière vague du BUMIDOM également, Monette subvient seule aux besoin de ses enfants. On remarque que le même schéma s'applique chez Jean-Thierry Mathurin. Ce dernier est élevé dans un univers féminin. Il naît à St-Laurent-du-Maroni dans un foyer brutal, mais est aimé par sa mère.

---

12 Myriam COTTIAS, « De l'esclave à la femme 'poto mitan'. Mariage et citoyenneté aux Antilles françaises (XVIIe-XXe), in Danielle Bégot, Jean-Pierre Sainton, Mélanges à jacques-Adélaïde-Merlande, Paris : Éditions du CTHS, 319-334.

Son père, atteint de tares psychologiques causées par la dureté de leur environnement guyanais post-esclavagiste, tente de le noyer à l'âge de cinq ans. Il fut élevé par une mère célibataire qui peinait à trouver un homme responsable. Une fois arrivée à Paris en 1980, Martha Morisson, mère de Mathurin, vit dans une grande précarité, seule avec son fils. Tout comme Paulin, il grandit sans repères paternels. La dureté de Monette n'est pas un symbole de force mais la preuve d'une explosion de rage interne liée à une vie ingrate qu'elle évacue par le défoulement d'attaques à l'encontre de Paulin.

La grande précarité dans laquelle Mathurin est plongé dès l'enfance à Paris provient du fait qu'il n'ait aucun homme responsable autour de lui. Monette et Gaby sont tous deux affectés par le système hiérarchique et nourrissent les apparences. Les deux veulent s'attribuer une image de respectabilité face aux normes sociales qui prennent racines dans la colonisation. En tant qu'Antillais dont l'histoire et la société insulaire furent fondées sur la hiérarchie du Blanc sur le Noir, du Métis le plus clair sur le Noir, et du riche sur le pauvre, les parents de Paulin sont donc forcés d'évoluer dans des sous-catégories.

C'est par eux que Paulin développe cette obsession de l'apparence et de la respectabilité même durant son arrestation. En prison en 1987 et 1988, il ne prépare aucune défense et favorise le maintien de son apparence, s'habillant en smoking, bien que mourant du virus, pour préserver sa dignité face aux gardes. Pour Monette, cette respectabilité de l'image vient par la religion. Lors de son entrevue rapportée par le *Nouveau Détéctive* en 1987, Monette révèle avoir envoyé une Bible à son fils incarcéré. Elle eut rejeté ce dernier car né hors mariage, et ayant donc terni son image dans la société. Son mariage avec le père de ses cinq autres enfants est une revanche totale, bien qu'il se soit soldé par un divorce. C'est par l'hypocrisie religieuse que Monette maintient une image qui n'est pas la sienne.

Il y a, entre cette apparence et la réalité, une dichotomie terrible qui traduit la maladie psychique grave de ceux qui la maintiennent. Paulin massacre de la pire manière mais dissimule cette horreur par sa beauté et par son apparence parfaite. Monette envoie une Bible à son fils que la France découvre comme le "Tueur de Vieilles Dames", peinant donc à comprendre que l'explosion meurtrière de Paulin est causée par l'abandon, la maltraitance maternelle qu'une simple Bible ne pourrait soigner.

Gaby Paulin rejette son fils au moindre problème mais veut maintenir l'image d'un père responsable en prônant l'éducation réussie de ses deux autres enfants.

Il n'y a donc aucun juste-milieu chez les Paulin-Larcher. À dire vrai, la pression sociale post-coloniale est telle pour ces Antillais qu'ils ne sont jamais eux-mêmes. Leurs traumas sont balayés et ils doivent s'intégrer dans une société blanche pour marquer une réussite. Mais ce processus non naturel se distingue toujours par un dédoublement de personnalité qui fragilise les mentalités de ces Afro descendants.

Si les mères furent responsables de la trajectoire catastrophique de leurs fils tueurs en série, il faudrait préciser qu'Hélène Rampillon et Monette Larcher sont nées car des Gaby Paulin et des George Cartwright les ont formées. Ces derniers sont deux hommes qui ont abandonné leurs responsabilités. Donc, ces mamans, déjà vulnérables, ont été forcées de faire face à la plus grande décision de leur vie. Le cumul de pression pousse ces dernières à craquer et à se venger sur leurs fils qui ne sont que l'autre face de l'homme qui fut autrefois aimé. Aussi étrange que cela puisse paraître, les deux mères ont rejeté leurs fils mais leurs parcours sont les mêmes.

Comme leurs deux enfants, plus tard, Monette et Hélène étaient déjà les premières marginalisées de leur société. Elles ont expérimenté ce rejet social auquel Georges et Paulin furent confrontés, sans même le réaliser.

CHAPITRE 5

IMPACT DE LA VIE FAMILIALE SUR LA VIE SOCIALE DES TUEURS

Dans un article académique publié en 1972, le Dr Certhoux dresse un portrait psychologique et psychiatrique des populations martiniquaises de la Martinique- il ne s'agit pas ici des immigrés vivant en Métropole. Le psychiatre remarque une différence sociale importante. Les familles stables vivant à Fort-de-France évoluent dans un système patriarcal, ce qui influe sur leur économie qui est stable. Il remarque, qu'en dehors de la capitale martiniquaise, deux types de familles matriarcales se présentent. Il note alors l'existence d'une famille matrifocale fermée, où la vie familiale se joue autour de la mère mais où le père est présent bien qu'en retrait. Cette catégorie est supérieure à celle des familles matrifocales ouvertes, où la mère est la seule référente. C'est dans ce dernier cas que la précarité est la plus élevée.

Il fait état des conséquences psychologiques terribles sur les enfants ayant grandi sans repères.

Il écrit: «Un enfant balloté d'un foyer à un autre entre 0 et 5 ans, ne parvient parfois jamais à une position d'équilibre, ni à développer une personnalité harmonieuse et solide [...].»

Le psychiatre constate également une forte concentration de malades mentaux dans les milieux ruraux de la Martinique. Il est intéressant de souligner que l'esclavage s'organisa principalement, par le système de la plantation, dans ces milieux ruraux. Ceci indique donc que des milliers d'Antillais restés vivre dans les îles n'ont pas bénéficié de soins psychologiques importants pour traiter leurs tares liées aux chocs laissés par l'histoire et les abus. Enfin, le Dr. Certhoux s'étonne d'un fait particulier. Il remarque que les Antillais ont une capacité à s'intégrer en Métropole et parle d'une «plasticité d'adaptabilité de la personnalité»[13]. Ce rapport démontre que les Antillais, au même titre que les immigrés africains, nourrissent une culture du dédoublement en vue de s'adapter au milieu dans lequel ils évoluent. S'ils se dédoublent, en vue d'être acceptés dans une société blanche française, cela signifie qu'ils ne s'ouvrent pas en cas de vulnérabilité. Ce dédoublement est présent dans le foyer de Gaby Paulin. En cas de problèmes graves, les Antillais, sur le plan

---

13 Certhoux A. Particularités psycho-pathologiques chez les Antillais. Incidence sur le phénomène migratoire. In: La migration des ressortissants des Départements d'Outre Mer: aspects médicaux et psycho-sociologiques. Nice : Institut d'études et de recherches interethniques et interculturelles, 1972. pp. 53-62. (*Etudes préliminaires - IDERIC*, 5)

www.persee.fr/doc/epide_0768-5289_1972_act_5_1_876

social, ne parlent pas. Déjà à la fin du XIXème siècle, Etienne Rufz souligne que la folie chez l'homme noir est plus difficile à détecter que chez les Européens. Ce silence traduit probablement, aux yeux de Rufz, le mécanisme laissé par des années d'asservissement[14].

Comme nous l'avons vu, par leur métissage désastreux, leur condition familiale dysfonctionnelle, Georges et Paulin ont été "élevés" par des parents qui ne les nourrissent pas en tant qu'individus à part entière. Personne ne puise dans la profondeur de leurs âmes tourmentées pour les comprendre.

Mme Morin est à l'image de la société de son époque, quant à son traitement de Guy Georges. Le Noir est inexistant dans cette France des années 1960, et s'il est présent, il est soit exploité pour ses bras (BUMIDOM), animalisé (prostitution) ou objectifié.

La mère adoptive ne voit pas Guy Georges comme un être à part, mais comme sa chose.

En ce sens, il est impossible à ce dernier d'avoir un rapport rationnel à son environnement dès lors qu'il grandit avec une mère adoptive qui s'adresse à lui en le considérant comme une "chose" et non comme un être humain.

---

14 GUILLARD, Pierre, "La Tentative De Suicide En Martinique", 1985 (Thèse) cite Etienne Rufz

Là où Georges est objectifié, Paulin grandit étouffé par la tare, la charge encombrante qu'il représente pour ses parents.
Ces derniers se vengent sur lui par l'abandon mais ne s'attardent pas à l'écouter et à dialoguer afin de comprendre la profondeur de ses carences.
On remarque alors que les deux assassins sont des caméléons capables de s'adapter partout car ils ont été élevés par des parents qui ont privilégié l'apparence et la superficialité. Puisqu'ils furent dérobés de leur âme, ils devinrent des êtres en suspens, sans identité, s'adaptant aux situations et personnes se présentant devant eux.
En raison du choc causé par l'abandon, les deux hommes développent un mépris pour la société, mais surtout envers la race humaine entière. Puisqu'ils sont élevés par des gens obsédés par l'apparence, ils ont en eux cette faculté innée et entretenue à tromper.
Quel est donc le rapport des tueurs à la classe sociale et à la société en général?
Georges et Paulin se reflètent dans beaucoup d'élements, mais pas toujours dans le parcours social. Premièrement, on remarque qu'ils quittent tous deux la province pour Paris. Ils s'établissent

dans l'Est parisien et fréquentent les mêmes lieux, comme le quartier des Halles, mais n'appartiennent pas à la même catégorie sociale dans ce Paris des années 80 et 90.

Thierry Paulin est un capitaliste notoire, obsédé par son image et par l'élitisme. Comme nous le verrons dans les prochains chapitres, son activité criminelle est indissociable d'une quête obsessionnelle pour l'élévation sociale. Jamais Paulin n'aurait songé, même dans la plus grande précarité, à vivre dans un squat. Cette pensée l'aurait probablement fait bondir. Puisqu'il souffrait de carences affectives terribles, il souhaitait se venger par la reconnaissance aux yeux d'autrui.

Ainsi, contrairement à ce que les médias avancent, dès 1984, Paulin a su se faire un nom dans le monde de la nuit parisienne aussi bien homosexuel qu'hétérosexuel. Il n'aspirait pas à devenir célèbre mais l'était déjà dans ce milieu. Cette célébrité fut la raison pour laquelle il parvint à séduire Jean-Thierry Mathurin.

Et comme nous le verrons plus tard, à partir de 1985, sa dimension criminelle s'inscrit dans une optique d'élévation pure et dure. Il a besoin de tuer ces vieilles dames pour extérioriser ses frustrations, mais doit continuer à les massacrer pour s'assurer d'avoir quelques sources de revenus faciles. Paulin n'aurait jamais accepté de s'associer à des SDF car visant l'élitisme et le pouvoir. Toutefois, tout comme Guy Georges, un détail les lie l'un à l'autre. Les deux tueurs sont des chasseurs au coeur d'une grande métropole. Ils utilisent tous deux leur nouvel environnement comme "cachette" sociale qui leur permet de commettre les meurtres en toute liberté.

Paulin choisit un monde qu'il connait, soit celui de la nuit.

Cette atmosphère est particulière. En effet, ce monde rassemble les marginalisés de la société mais permet aussi aux riches individus bien établis de la "bonne société" de venir y commettre leurs vices.

En ce sens, en raison des paillettes et de la fête, une superficialité s'installe et la compétence de Paulin en tant que meurtrier n'aurait pas pu se manifester sans que ce dernier n'ait pu obtenir la connaissance étendue de son milieu pour tuer.

Paulin appartient à la nuit et fait partie des seuls rares Afro descendants de cette époque à y vivre. Ainsi, il préfère tuer le matin, en semaine, au moment où les Parisiens partent au travail. Puisque le monde de la nuit est superficiel, il sait qu'il évolue auprès de personnes qui se dissimulent dans un environnement futile.

Donc, Paulin le chasseur, trouve dans le monde de la nuit, sa planque. Là, personne ne lui posera de questions sur sa vie dès lors qu'il manipule par son apparence, paye et organise des fêtes. Guy Georges établit sa cachette en tant que chasseur dans des squats. Là, la même dynamique s'opère. Ces endroits sont habités par des marginaux, et par des individus vivant dans la légalité et l'illégalité. C'est donc au sein de cette sphère que Georges parvient à dissimuler ses activités et à tuer sans que personne ne soupçonne quoique ce soit.
Toutefois, si leurs deux milieux s'opposent quant au rapport à l'élitisme, Georges et Paulin ont conscience de la structure pyramidale sociale dans laquelle ils sont plongés. En effet, Georges pourrait quitter ce monde de squatteurs car possédant toutes les capacités à s'insérer dans le monde "normal", mais il refuse. Il y trouve un intérêt puisqu'il peut chasser ses victimes. Toutefois, tout comme Paulin, Guy Georges a du mépris pour ces squatteurs qu'il considère comme des déchets humains.
Paulin demeure attaché à ses amis homosexuels noirs, il ne les renie pas, mais aspire à quitter le monde précaire dans lequel il évolue. Dans un cas comme dans l'autre, Georges et Paulin se jouent de l'âme humaine, observant à distance.

Guy Georges n'est pas aussi obsédé que Paulin par l'argent car il sait qu'il possède les ressources nécessaires pour rentrer dans les rangs, soit des codes sûrement transmis par Mme Morin.
Par ailleurs, contrairement à Paulin, Georges accepte de faire des petits boulots, de nettoyage notamment. Toutefois, aucun des deux hommes ne se retrouve dans cette société.
Le premier dédoublement social vient de Paulin. Et pour le comprendre, nous devons nous placer dans le cadre de l'expérience migratoire de sa famille. Par l'obsession de l'assimilation, les immigrés comme Gaby nourrissent le dédoublement. Ils adoptent un masque au sein de la société blanche et deviennent eux-mêmes, enfin chez eux. Thierry Paulin fut exposé à cette dichotomie terrible. On lui apprit à ne pas être lui-même, comment mentionné plus tôt. Guy Georges fut étouffé par une mère nourricière présente qui ne l'a pas poussé à être lui-même, ce qui contribua au décuplement de sa rage.
Ce dédoublement favorise la manipulation chez les deux et les encourage à utiliser les gens.
Dans sa vie amoureuse, Paulin a la même dualité. Il fait preuve de loyauté envers ses amis noirs gays du Paradis Latin mais exploite ses amants blancs pour l'argent.

Le capital chez Paulin renvoie une fois de plus au statut de l'homme noir dans la société française des années 80. Il évolue à une époque où le Noir est invisible et l'argent est le seul moyen pour lui d'être considéré comme un être humain respectable. C'est le capital seul qui lui apporte la dignité.

Interrogés après la révélation de décembre 1987, les "amis" de Paulin se dirent choqués par la nouvelle. Ils n'auraient jamais pu imaginer une telle chose.

Dès lors que Paulin possédait, il n'était plus un homme noir ordinaire, mais un *surnoir*, puisque l'argent le fit sortir de sa condition. En ce sens, puisqu'il était fortuné, ou semblait l'être à leurs yeux, il ne représentait pas une menace. Tous les témoins l'ont reconnu comme étant gentil et serviable, mais le jugeaient dans un monde de superficialité dans lequel ils avaient leurs intérêts.

Nous sommes dans les années 80, où, aux États-Unis, en pleine Guerre Froide, le monde de l'art voit l'émergence de célébrités afro-américaines devenues millionnaires. Paulin en adopte les codes, par le style, la coiffure et l'aspect. Ces Noirs Américains n'effraient pas et rassurent les Européens. Par l'argent qu'il eut amassé par le meurtre et le crime organisé, Paulin se distançait des autres Afro descendants aux yeux des Français qui le côtoyaient. Il est, en tant qu'Antillais, un descendant d'esclaves et appartient à la sphère des dépossédés par l'histoire mais aussi par la société. Il évolue dans une marge d'intersectionnalité car pauvre, Afro descendant et bisexuel. Cette réalité sociale décuple sa rage puisqu'il ne s'épanouit pas dans sa sphère et rêve d'être reconnu.

Puisqu'il fut marchandé depuis l'enfance, est descendant d'un système de vente humaine organisée qui le poursuit dans sa famille, il n'évalue sa valeur qu'à travers l'argent. Thierry Paulin n'a donc aucun rapport rationnel aux finances. Il place la validité de toute son existence dans l'acquisition du capital.

Aussi ironique que cela puisse paraître, l'affaire Thierry Paulin mit un terme à tous les efforts fournis par Gaby Paulin afin d'être perçu par sa société comme un immigré exemplaire. Par la complexité de sa personnalité, Paulin a porté en lui toutes les "tares" taboues aux yeux de la société de son époque mais aussi de son père. Ce que Gaby Paulin eut tenté de dissimuler ou étouffer l'a marqué pour toujours dès lors que la vie de Thierry Paulin et ses déboires sont le reflet de l'échec de l'expérience migratoire antillaise et de la catastrophe sociale de cette jeunesse que les parents tentaient d'amoindrir. À la fin, malgré tous ses sacrifices, Gaby Paulin fut entraîné dans la chute de son fils et se vit soudainement replacé dans la sphère des mauvais immigrés car étant le père du tueur. L'émergence de ce dernier remet en question l'hypocrisie communautaire, l'efficacité de la politique de soumission de ces groupes mais aussi la dynamique de transmission chez ces mêmes structures.

CHAPITRE 6

DES TUEURS NOIRS ET DES VICTIMES BLANCHES

«Hier vous ne parliez de moi qu'en noir, mais j'ai du blanc aussi. J'assume ce que j'ai fait, mais j'ai une haine de la société. Je leur en veux.»

Guy Georges, Avril 2001 avant délibération

Dans les deux affaires, par tabou ou en raison du politiquement correct français, la dimension raciale est tue. Elle est effacée comme facteur de grande contribution quant à la fracture mentale qui mène les deux assassins à tuer, est ignorée dans le cadre de l'évolution de leur rupture de personnalité, et n'est toujours pas abordée en ce qui concerne les victimes.

Comment expliquer que Georges et Paulin, les deux seuls tueurs en série afro descendants en France, n'aient fait aucune victime noire?

Les deux tueurs avaient conscience de cette réalité de race, de l'effet du rejet raciste dans le fracas de leur personnalité ce qui posa aussi la matrice des meurtres commis. Les deux hommes portaient en eux, probablement, jusqu'à un certain degré, une

haine des Blancs en réponse à la violence historique subie qui soutient leur oppression et leurs défaillances.
Dans sa vie, Paulin avait conscience de cette dualité car forcé d'évoluer entre plusieurs mondes en fonction desquels sa personnalité s'adaptait.
Dans l'hypocrisie du monde de la nuit qui réunit les riches et les pauvres, la question raciale n'est pas abordée le temps de la fête. C'est l'image de ce Paris des années 80, fait de fêtes, d'amusement, de glamour qui est portée en avant, mais pas l'envers du décor illustré par la prostitution, aussi bien masculine que féminine, l'usage de drogues dures, la grande précarité, la dépression et le sentiment d'échec d'une jeunesse qui se sent sacrifiée.
Paulin évolue au sein de cette opposition constante.
Il veut appartenir à l'élite, est connu dans ce milieu de fête, mais n'a pas assez d'argent. Le XVIIIème est un espace bourgeois dans lequel une bonne partie de ses victimes réside. Il les envie et dans son capitalisme appuyé par sa folie psychique, il se doit de les écraser car à ses yeux, puisqu'il est au coeur du système de marchandage humain, ces vieilles dames ne valent plus rien.
Il y a donc chez Paulin une dimension sociale et raciale.

La colère provoquée par la misère les pousse donc à commettre le pire car évoluant dans une société libérale où le Noir ne peut espérer briller, jouir d'un respect humain qu'à travers la possession matérielle.

Le Paris de Georges et Paulin, tout au long des années 80 et 90, marque une période de chamboulement. En effet, cette décade signe la naissance de la deuxième génération de fils d'immigrés.

Pourtant, le XVIIIème n'est pas un ghetto mais constitue une forme de lieu où passent plusieurs populations diverses.

Il était donc impossible à Georges et Paulin, tout juste arrivés à Paris, de ne pas avoir pris ou eu conscience des rapports conflictuels liés au racisme dans la société au sein de laquelle ils grandissaient.

Dans un article écrit par Patricia Tourancheau experte du dossier Guy Georges qui suivit le procès, cette dernière rapporte les propos du terroriste Carlos, voisin de cellule de Georges.

Le Vénézuelien déclare: «C'est un jeune victime du racisme de la société, qui a vécu dans la France profonde et qui a mal tourné. Il n'est pas normal même s'il en a l'apparence.»[15]

---

15 TOURANCHEAU, Patricia, "Un Petit Noir en Anjou", LIBERATION, 2001 https://www.liberation.fr/societe/2001/02/16/un-petit-noir-en-

Toute sa vie, selon des témoignages, Georges fut affecté et enragé par le racisme qui l'eut marqué très tôt dans son enfance.

Serge Bornstein tente d'établir un lien entre la haine de Paulin envers les vieilles dames et sa propre grand-mère, Maman Jojo, en vain. Si cette hypothèse s'était avérée vraie, Paulin aurait tué et agressé des vieilles dames noires. Guy Georges, dans toute sa carrière criminelle qui débuta bien plus tôt que celle de Paulin, n'a jamais frappé, violé ou tué de femmes noires, pas même métisses.

Il y aurait-il chez Georges et Paulin une dimension liée à la vengeance sociale contre l'État français blanc dont la structure oppresse et détruit les groupes auxquels ils appartiennent?

Et si les deux tueurs avaient aussi, par le meurtre, exprimé une rage de l'homme blanc quant à leur condition déplorable au sein de la société française? Georges éprouve une haine dès lors qu'il est métis et abandonné. Dans cette identité déjà troublée, il ne connaît pas son héritage afro-américain, et grandit parmi des Français blancs qui le qualifient de Noir.

---

anjou_354827/

Georges a confessé lors de son procès avoir une haine envers la société, mais les psychiatres ne semblent pas l'avoir interrogé sur la raison pour laquelle ses victimes n'étaient que des femmes blanches.
La haine de ce dernier provient en grande partie du rejet qu'il éprouve entre sa mère et lui, mais aussi entre sa mère-patrie, la France, envers les enfants comme lui.
En effet, après son abandon, c'est bien l'administration française qui modifie son lieu de naissance et retire les noms de ses parents afin de l'empêcher de pouvoir les retrouver une fois adulte.
Paulin, il est clair, était un capitaliste escroc, mais ce dernier avait un sens communautaire. Dans ce monde homosexuel blanc parisien du tout début des années 80, les Afro descendants qui en font partie ne sont pas nombreux, et vivent une triple marginalisation car étant des hommes noirs, homosexuels et souvent pauvres. On retrouve parmi eux des hommes ayant fui le système du BUMIDOM et ayant fini dans la marge sociale, bien trop pauvres pour pouvoir rentrer aux Antilles, des personnes exclues, maltraitées par leur famille ou des individus souhaitant devenir des vedettes.

Ces hommes noirs homosexuels vivent souvent cachés, mènent une double vie, dès lors que certains membres familiaux ignorent encore leur identité sexuelle.
Au Paradis Latin, Paulin se lie d'amitié à Mathurin, il est vrai, mais aussi à Joséphine, né Thierry, qui travaille en tant que meneur de revue dans le cabaret. Tout au long des années 80, Joséphine apparaît comme une figure de soutien et un réseau d'entraide s'organise entre ces Antillais marginalisés. Paulin contribue à cette entraide, et héberge ses semblables, ou prête de l'argent (sûrement volé) à ceux qui seraient dans le besoin. Mathurin, qui ne fut jamais l'amant de Joséphine contrairement aux mensonges rapportés par les médias, fut hébergé par ce dernier à de nombreuses reprises en raison de sa situation sociale extrêmement précaire. En effet, contrairement à Paulin qui refusait le travail d'exploitation, Mathurin rêvait toujours de paillettes mais travaillait comme serveur. Toutefois, les maigres revenus ne lui permettaient pas de vivre dans la sécurité financière. Ainsi, pour combler cette pauvreté, il dût se résoudre à la prostitution avec d'autres hommes. Donc, par cette entraide communautaire, Paulin avait pour habitude de ne pas abandonner les siens, aussi bien rejetés par les Blancs que par les Noirs.

Bien plus tard, même dans son élévation sociale entre 1986 et 1987, Paulin ne les niera jamais, les invitant dans ses réceptions car fortement attaché à cette communauté de l'entre-deux.
S'il vise toujours l'élite, Paulin n'efface pas sa négritude.
Toutefois, Guy Georges n'a pas le même sens communautaire car il est Blanc, Français dans l'héritage, puisqu'il n'a pas été exposé au côté noir.
Malgré cette différence, les deux tueurs ont un rapport de haine vis-à-vis du traitement que la société leur inflige et portent en eux la même rage qui cristallise leurs frustrations, peine et douleur. Et si ces meurtres symbolisaient l'explosion finale d'individus ayant accumulé une succession d'échecs et de troubles comprenant également une saturation en raison de leur exposition au racisme quotidien, et donc au rejet?
Cette hypothèse est d'autant plus frappante chez Thierry Paulin.
Exploité par le voyeurisme journalistique des années 80 et 90, Paulin fut présenté au public comme un simple tueur de vieilles dames. En réalité, comme le révèle l'audition de Jean-Thierry Mathurin au lendemain de son arrestation, ce dernier a mis l'accent, face aux policiers, sur le phénomène de gradation dans les crimes perpétrés.

Mathurin et Paulin n'avaient pas débuté par les attaques contre les vieilles dames, mais par des vols dans les métros. Cette pratique s'étant avérée trop risquée, Paulin suggéra donc de voler les personnes à domicile et se pencha spécifiquement sur les vieilles dames, en précisant que ces dernières avaient l'habitude de garder des économies chez elles.

Il mit en place un plan dans lequel il était question de les bousculer pour les voler, mais il n'évoqua pas le meurtre. Toutefois, une précision faite par Paulin nous interpelle. Une fois arrêté le 1er décembre 1987, Paulin avoue les faits naturellement, et les décrit dans les moindres détails. Et c'est avec la première victime des attaques et meurtres de la série de 1984 que la question de la dimension raciale se pose.

Alors que les deux hommes avaient pu amasser un peu d'argent par le vol à l'arraché dans la rue et le métro, Paulin, acculé par une vie précaire, se rend à la Poste afin d'y ouvrir un compte bancaire en compagnie de Mathurin. Patientant dans la file d'attente, les deux hommes remarquent une vieille dame qui les méprise et qui semble les critiquer à l'un des employés de l'établissement. Une fois acceuillis au guichet, les deux hommes sont priés de revenir le lendemain afin d'apporter la pièce justificative manquante. Le mépris de la vieille dame à leur égard nourrit en Paulin une rage folle. Le jour suivant, ils se rendent dans le même établissement pour y apporter le document et croisent à nouveau cette vieille dame. Paulin décide alors de mettre son plan à exécution et se met à la suivre. Les deux hommes marchent derrière elle, et la dame les mène rue Lepic. Germaine Petitot sera la première victime dans la série d'attaques de 1984, mais elle survécut. Toutefois, le choc fut si violent qu'elle en perdit la mémoire. Ironiquement, la première attaque de Paulin a vu la victime survivre au même titre que la dernière, Berthe Finaltéri, qui eut mené à son arrestation finale. Puis, Anna Barbier Ponthus sera victime, comme toutes les autres, de la violence barbare de Thierry Paulin, massacrée avec une brutalité sans nom. Le cas de Germaine Petitot pose le problème du rôle joué par le racisme et le rejet. La rage de Paulin, comme nous le verrons dans le point suivant concernant la psychologie des deux tueurs, ne se déclenche qu'en fonction d'éléments extérieurs qui ravivent un sentiment violent qu'il dissimule. Ces vieilles dames sont massacrées pour plusieurs raisons. Tout d'abord, puisqu'il est capitaliste et n'accorde de la valeur qu'à l'argent, Paulin qui fut élevé dans ce schéma pyramidal, croit en la supériorité des plus forts et méprise les plus faibles. Il est élitiste. Par ailleurs, son entreprise de communication met étrangement l'accent sur la jeunesse et le dynamisme comme sources de valeur. Dans ce schéma pyramidal, les vieilles dames n'ont aucune place dans la société, doivent être écrasées et détruites afin de lui permettre de s'élever socialement. Paulin vit cette précarité comme une injustice et le meurtre lui permet d'extérioriser cette rage interne, expliquant ainsi la force disproportionnée engagée contre des êtres déjà très fragilisés. Par un triste sort, Paulin ne réalise pas que ces vieilles dames sont également son reflet. Elles sont âgées, vulnérables mais surtout rejetées par leur société au même titre que lui et Mathurin. Puis, le meurtre est pour lui une source de libération morale car il lui confère un équilibre. L'apparence polie, belle et stable de Paulin ne peut prendre place sans l'horreur des crimes. S'il fut qualifié de toxicomane, bien qu'usager occasionnel, Paulin trouve dans le crime son addiction véritable. Le massacre de ces vieilles femmes est donc sa manière d'extérioriser sa frustration sociale et son sentiment d'échec. Ces femmes âgées ne sont pas toutes riches, mais elles possèdent des économies, et vivent dans des quartiers bourgeois, à l'époque.

Elles exaspèrent Paulin qui ne parvient pas à comprendre pourquoi des personnes en fin de vie devraient posséder bien plus que lui, jeune, dynamique, mais retenu par les structures sociales métropolitaines qui le bloquent dans une dimension d'infériorité. Il envie.

La première vague d'attaques de 1984 s'inscrit dans une optique de survie face à la précarité, et porte aussi le sceau de le vengeance liée au racisme. Il faut donc attendre 1985 pour que la personnalité purement psychopathe de Paulin naisse. À partir de cette année là, il tue pour le plaisir et pour jouir de son pouvoir.

Thierry Paulin fut décrit par ses proches comme un jeune garçon doux et non violent. Toutefois, si ce dernier fut condamné pour être devenu le "Tueur de Vieilles Dames", personne au sein des institutions françaises ne s'est posé la question de savoir si le système français n'était pas, en lui-même, extrêmement violent pour une partie de la population, ignorée? Pourquoi la violence extrême de Paulin ne fut-elle pas perçue comme une réaction possible à la brutalité de la société dans laquelle ses semblables et lui-même évoluaient?

Que dire de l'attaque de 1982, donc? Celle-ci lie directement racisme au crime.

L'attaque de 1982 à Toulouse ne peut pas véritablement être considérée comme le prélude à la série de meurtres de 1984. Tout d'abord, il n'y a pas eu de meurtre, puis, Paulin a encore conscience du concept de la vie et de la mort. Il ne songe pas à tuer. Toutefois, cette agression manifeste sa frustration sociale et exprime le fait qu'il est acculé par tant de problèmes. Il braque une épicerie tenue par deux vieilles dames, mais ceci relève du hasard. Si ce braquage est un facteur déclencheur pour Paulin qui ressentira une sensation de toute-puissance jamais éprouvée auparavant, elle s'inscrit dans la continuité de sa perdition, et de sa fatigue mentale à l'idée d'essuyer tant d'échecs. Il attaque pour exprimer sa frustration mais pas pour faire du mal. Il s'agit donc d'un appel à l'aide. Toutefois, le lien entre son action et le racisme est établi par Paulin lui-même.

Bien qu'arrêté de manière idiote, il expliqua son geste aux juges l'année suivante et révèla qu'en raison de l'éloignement familial, de la maltraitance et du racisme subis à l'armée, et de sa précarité, il eut un moment de folie et fit le *hold up* par désespoir. Touchés par sa sincérité, il fut condamné mais sa sentence ne fut pas mentionnée sur son record. Mais, en 1983, Paulin commet une nouvelle agression qui ne fut mentionnée nulle part.

Ce cas de 1982 prouve donc bien que le racisme a joué sur la fracture mentale de Paulin et sur sa violence. Toutefois, le laxisme de la justice toulousaine a desservi dès lors que les structures judiciaires auraient pu demander un suivi social, professionnel pour Paulin, bien que majeur en raison du caractère impulsif de l'assassin qui eut mené à commettre une attaque contre autrui.

Guy Georges a une démarche matricide, comme les experts l'ont affirmé. Il tue inconsciemment sa propre mère qui l'a abandonné. Mais là encore, sa démarche diffère de celle de Paulin. Ce dernier massacre des femmes proches de la mort et leur reporte toutes ses frustrations aussi bien dûes au rejet, au racisme qu'à la précarité, mais ces vieilles dames sont sur le point de mourir car déjà bien âgées. Georges cherche à assassiner dans la fleur de l'âge, des femmes jeunes, belles dynamiques qui respirent la vie.

Il assassine sa mère et à travers elle, cette société qui l'a abandonné et détruit. Paulin porte une grande importance à la beauté et à la jeunesse, et Georges détruit cette dernière pour des raisons qui lui sont propres.

CHAPITRE 7
PSYCHOLOGIE

Les cas Georges et Paulin demeurent tabous au sein de l'unité criminelle car ils ont prouvé la défaillance d'un système judiciaire longtemps perçu comme infaillible. Pourtant, par les profils psychologiques des deux tueurs, la médecine psychiatrique française a montré ses limites. Les deux assassins furent présentés à la presse comme des cas complexes dès lors que les psychiatres ne parvenaient pas à réellement définir la cause de leur délire.

En réalité, c'est la médecine psychiatrique française qui n'était tout simplement pas préparée au changement. Dans ce champ médical particulier, le corps noir demeure invisible. Et malgré les présences antillaise et africaine sur le sol français tout au long des siècles, les études de ces populations ne furent pas prises en compte. La médecine a demeuré statique sans avoir subi de changements liés à l'adaptation aux nouvelles populations.

En ce sens, l'émergence de Georges et Paulin fut un problème.

Si le racisme reste tabou, une chose est certaine. Les deux assassins ne peuvent pas être compris en dehors du spectre de la négritude. Il y a une psychologie blanche et noire.

En effet, l'échec psychologique de Paulin est qu'il fut analysé par Serge Bornstein, aux méthodes anciennes et n'ayant aucune connaissance, aucune conscience des problèmatiques des Afro descendants. La violence de ces tueurs est causée par un mélange de facteurs, mais la violence du choc subi en raison de la dureté de l'expérience noire en Occident et la souffrance suscitée par le rejet en font partie. Le groupe psychiatrique français a échoué car refusant de reconnaître cette différence. Les motivations d'un tueur en série blanc ne peuvent pas concorder avec celles d'un tueur noir dès lors que les deux groupes ne sont pas exposés aux mêmes facteurs, qu'ils relèvent de l'histoire, de la politique ou de la sociologie.

Pourtant, dès les années 1980, les Anglais avaient déjà rédigé des rapports spécifiques traitant de l'état mental des patients afro-caribéens et du fait que les facteurs historiques jouaient un rôle important dans les diagnostics liés à la schizophrénie, mais pas en France.

Pour camoufler cette défaillance médicale et ce grand retard, les institutions ont laissé les médias nourrir la passion populaire par le voyeurisme. Les deux tueurs furent présentés comme des monstres, sans que l'on ait insisté sur leur parcours chaotique, leurs échecs personnels, leur perdition qui les ont menés à commettre l'horreur. La passion populaire mais passagère, ne durant que le temps d'un fait-divers, permit donc de ne pas analyser les vrais facteurs déterminants. En ce cas précis, c'est Thierry Paulin qui en fut le plus victime.

Rien en dehors du sensationnalisme médiatique ne nous explique comment un jeune de vingt-quatre ans aurait pu avoir commis de telles abominations. Pour la population, Paulin reste un monstre sanguinaire sorti de nulle part. Mais les médias n'insistent pas sur le fait que les deux tueurs sont des êtres humains fragilisés par leur parcours qui étaient responsables de leurs actes, mais malades.

Avant que nous ne traitions de la défaillance juridique dans notre prochain chapitre, nous commencerons par ce point. L'aggravation du schéma meurtrier des deux tueurs est causée par la defaillance médicale française vis-à-vis de la psychiatrie et des Afro descendants, mais surtout par un abandon constant des proches des assassins qui les ont laissés mourir à mesure que leur psyché se détériore.

Dès l'adolescence, Georges et Paulin, ont sombré dans une délinquance. C'est bien Georges qui adopte l'attitude la plus

violente très tôt, à l'âge de quatorze ans lorsqu'il tente d'étrangler sa soeur adoptive à l'aide d'une barre de fer, là où Paulin vole des engins de machines. Cette première différence entre les deux criminels se dévoile déjà, dès lors que Georges agit par la pulsion. Pourtant, ces attaques et ces problèmes comportementaux auraient dû être déclencheur du signal d'alarme pour les parents, puisque cette violence adolescente s'apparentait à un appel à l'aide de la part des deux jeunes. Malheureusement, c'est à cette période cruciale qu'ils sont abandonnés, rejetés par les leurs, bien que ces derniers auraient dû redoubler d'attention à leur égard. Pour leurs parents qui sont obsédés par l'opinion des autres et par l'apparence, ces enfants représentent un problème . Si leurs tares psychologiques diffèrent, comme nous le verrons, Georges et Paulin ont été abandonnés à leur propre sort dans le cadre de la psychiatrie.
Georges voit un psychiatre pour la première fois à l'âge de douze ans. Il est déjà fracturé et est décrit comme un enfant violent qui peine à "communiquer ses sentiments". Dès 1985, après une énième agression sexuelle, une seconde expertise dit de lui qu'il souffrait d'un traumatisme causé pour l'abandon à la naissance, soit une fracture qui lui causerait de graves problèmes d'identité.

La médecine psychiatrique avait expertisé Georges par deux fois mais son profil ne fut jamais suivi, et rien ne fut mis en place afin de guérir ce patient psychiquement malade.
Thierry Paulin n'aura pas cette chance d'être ausculté, plus jeune. Si sa mère Monette affirme qu'une assistante sociale le suivait dans l'enfance, Paulin n'a pas consulté. Cela s'explique par deux raisons. Premièrement, ce rejet du monde psychiatrique prend racine au coeur de la culture. Paulin grandit dans un cercle afro-caribéen où la psychiatrie est perçue comme un problème de Blancs. Le tueur est visiblement entouré d'individus aux problèmes psychologiques terribles, y compris Monette. Enfin, la deuxième raison provient du manque de structures visibles pour les Afro descendants qui entraîne un manque de confiance vis-à-vis des médecins.
Pourtant, l'état psychiatrique de Paulin était lamentable et effroyable, puisqu'il fut brisé par l'abandon, le manque de repères, mais aussi par cette maltraitance familiale et par le maintien voulu de la dualité en raison du contexte migratoire.
Les deux tueurs sont décrits comme gentils et dévoués par leurs proches mais font preuve d'une barbarie sans nom.

Georges commet son premier meurtre plus tard, en 1991, mais débute sa carrière de criminel plus tôt. Paulin la commence tard mais laisse plus de victimes et surpasse Guy Georges de très loin. Georges tue par vengeance. Il vit pour cette chasse aux victimes. Paulin tue pour la survie (1984), puis continue d'assassiner avec pour objectif, l'élévation sociale (1985), en vue de faire partie de l'élite. Il a un but précis. La grande différence est soulignée par le fait que Paulin ne soit pas un violeur, même si certaines victimes auraient eu le sexe brûlé à la cigarette en guise de torture. Georges vole également mais vit principalement de la chasse.
Pourtant, dans son profil criminel, Paulin est aussi pluriel. Il est un gangster, un dealer, un communicant, un escroc, un voleur, un agresseur très bien organisé et un serial killer. Il est un lien important entre le monde de la légalité et de l'illegalité, un constant pont entre le Blanc et le Noir, la richesse et la pauvreté. L'approche criminelle de Paulin est purement politique, calculatrice et capitaliste. (Son approche criminelle aurait pu faire de lui un meneur politique impitoyable)
En vérité, Paulin est le pur produit de la société libérale française des années 80.

Georges est aussi un lien entre le monde des squatteurs et l'extérieur. Selon Yan Morvan, photoreporter pris en otage par Georges durant les années 90, ce dernier travaillait comme indicateur de police, soit une information confirmée par d'autres témoins. Georges a donc fait preuve d'une capacité de dédoublement, de dissimulation et d'infiltration innée entre plusieurs mondes mais cette infiltration démontre surtout son mépris pour ses amis squatteurs, car conscient de les utiliser.
Ni Paulin, ni Georges n'ont un sens de la loyauté.
Outre ses changements d'humeur et ses colères, Paulin est décrit comme un être adorable.

Différence de Profil

Guy Georges et Thierry Paulin diffèrent par la tare psychiatrique. En effet, Georges agit par la pulsion, comme illustrée par son attaque contre sa soeur à l'âge de quatorze ans. Paulin, lui, est un pervers.
Thierry Paulin est d'abord atteint d'une dépression grave qui n'est pas soignée, pas même reconnue. Elle s'empire dès lors qu'il souffre d'un traumatisme lié à l'abandon, qu'il cache par la

création d'un personnage, d'une image dont il a besoin pour atteindre l'élite. À mesure que les chocs s'accentuent, cette dépression s'accroit le menant à devenir psychopathe, sociopathe et psychotique. Georges est un psychopathe. Toutefois, les deux hommes sont des menteurs, manipulateurs et escrocs invétérés.

Contrairement aux informations avancées par les médias, l'explosion criminelle de Paulin se manifeste à la suite d'un long processus d'une déchéance personnelle. Le tueur expérimente deux tournants principaux, l'un en 1984 et l'autre en 1985.

Au départ, en 1984, Paulin frappe ses victimes et se déchaine sur ces dernières afin d'extérioriser sa rage intérieure. Il confiera à la police lors de son arrestation en décembre 1987 qu'il n'était pas certain que les morts annoncées à la radion étaient réellement ses victimes puisqu'il avait pour habitude de les laisser pour mortes. Mathurin confiera au cours de son audition avoir été frappé par la violence disproportionnée de Paulin envers les pauvres dames.

En effet, Paulin n'avait jamais avancé l'idée de meurtres, mais parlait simplement de vols à domicile. La première vague de meurtres de 1984 déclenche en Paulin une addiction puisque c'est par les assassinats qu'il trouve une forme d'extériorisation et surtout une toute-puissance.

Mais, en 1985, un autre problème critique viendra tuer l'âme de "Thierry Paulin l'humain". Acculé par leur secret et ne supportant plus le souvenir des meurtres, Jean-Thierry Mathurin, après un retour sur Paris avec Paulin en 1985, décide de le quitter. La fin de cette amitié détruit le coeur de Paulin.

En effet, le départ de Mathurin est un énième abandon émotionnel pour le tueur en série. Hébergé chez deux amis gays blancs, Paulin est retrouvé par l'un d'entre eux dans un état comateux. Il tenta de se suicider et laissa une lettre dans laquelle il blâma ses parents et Mathurin pour la misère de sa vie.

Puis, quelques jours plus tard, il est retrouvé dans la rue qui fait face à l'appartement de ce même ami, faisant une crise d'hystérie en string. Le départ de Mathurin achève les dernières parts de l'esprit humain de Paulin, qui, une fois rétabli, fera preuve d'une plus grande barbarie à l'encontre de ses prochaines victimes.

Il tuera plus vite et en plus grand nombre. À partir de 1985, la tactique de Paulin change. Puisqu'il sait diversifier ses sources de revenus, mêlant l'illicite au légal, les assassinats n'ont plus aucune motivation économique pure. Il distribue la mort par plaisir. Il ne poursuit plus ses victimes dans la rue, mais choisit ses appartements en fonction des lieux où résident les vieilles

dames. Il les choisit, les observe et les traque pendant des jours avant de les attaquer, seul, ou avec un nouveau complice.
En 1987, seuls trois meutres et une tentative d'homocide seront retenus contre lui, mais le cas d'une vieille dame pose la question de la présence de plusieurs autres hommes.
Madame V. vivait avec son fils aîné. Lorsque celui-ci descendit faire des commissions non loin, il revint au domicile de sa mère quinze minutes plus tard et la trouva morte, étouffée. Paulin eut nié le meurtre mais des objets appartenant à cette vieille dame furent retrouvés chez des amis à lui, notamment une chaîne de cou et une paire de jumelles. Durant les séries de 1985 et 1987, Paulin avait pris le soin de collecter les objets trouvés sur les lieux des crimes. Le crime ne dura que quinze minutes ce qui signifie que Paulin eut le temps d'étudier, avec un complice, les allers-retours de la victime, de son fils et l'avaient traquée. Pourtant, si la police a des preuves témoignant de la présence d'autres complices pour les vagues des 1986 et 1987, Paulin se vengea en dénonçant Mathurin pour le punir, mais pas les autres.
Il reconnut les autres meurtres mais pas celui de Madame Viarmé et ce, même si tout l'accable fortement. Cette incompréhension s'expliquerait par deux hypothèses.

Paulin refusa d'admettre ce meurtre s'il fut accompagné d'un complice qu'il tentait de protéger pour des raisons qui lui sont propres. Puis, atteint du virus du SIDA, son premier organe qui en fut affecté fut son cerveau. Il est donc possible, qu'au moment des auditions de 1987, Paulin ait confondu des éléments dès lors que ses facultés psychiques commencèrent à faiblir.
Durant les auditions, il n'éprouve pas de remords et procède à la description des évènements comme s'il traitait d'une expérience anodine. Il rit pendant les rencontres, là où Mathurin éprouve des regrets instantanément. Paulin, qui se sait malade du SIDA, a conscience que ses jours sont comptés et qu'il est sur le point de mourir. Si les policiers sont au courant, seul Paulin comprend le degré de détérioration de sa santé et saisit qu'il ne tiendra jamais pour son procès. Il fait donc preuve d'un mépris et d'une fatalité à l'égard du corps judiciaire.
Le pervers veut détruire, dominer et utiliser autrui.
Pour Thierry Paulin, l'autre est une chose. On remarque chez le "Tueur de Vieilles Dames", une appréciation pour la violence brutale à l'encontre de ses victimes mais une déléctation dans le fait de tromper, de manipuler, de confondre, de placer son entourage au coeur du morbide sans que ceux-ci ne puissent s'en

rendre compte. Les fêtes qu'il organise en décembre 1985 et en novembre 1987 illustrent notre point. En fin 1985, Paulin tue à de nombreuses reprises mais seul un crime fut repertorié. Il organise une soirée sur une péniche à Paris où les invités repartent les mains remplies de boissons alcoolisées. Puis, en 1987, après avoir festoyé et invité à plusieurs reprises, il décide de célébrer son anniversaire le 28 novembre 1987. Trois jours avant, Paulin massacra plusieurs femmes et finança sa fête d'anniversaire en partie avec l'argent trouvé sur les lieux du crime. Il convia près de soixante personnes au Tourtour et la fête se poursuivit jusqu'au petit matin. Puisqu'il règla tout en avance, les invités profitèrent sans se poser de questions car éblouis par la richesse apparente de Paulin. Après la capture du "Tueur de Vieilles Dames", ils furent non seulement, choqués à la vue du visage de Thierry Paulin dans les médias mais furent davantage traumatisés d'apprendre que ce dernier les eut exposés à une machination morbide puisque les fêtes furent financées par le sang.

Sa méchanceté s'accroit davantage au moment où il apprend qu'il est atteint du virus du SIDA en 1986.

Après sa rupture avec Mathurin son meilleur ami, Paulin continue à se rendre dans des boîtes de nuit, mais plus pour les mêmes raisons. Nous ne sommes plus en 1984, il ne cherche plus particulièrement à faire la fête, mais à renforcer ses liens et réseaux politiques dans ces soirées. Dans une dimension encore plus macabre, Paulin se rend assidûment dans ces soirées gays et hétérosexuelles afin de chercher de nouveaux complices, qu'il trouve. Au moment de son arrestation en décembre 1987, Paulin habitait à l'hôtel du Cygne, et partageait sa chambre avec un ami d'origine guadeloupéenne, aussi appelé Thierry.

Ce dernier rencontra Paulin quelques jours auparavant dans un café des Halles quand le Martiniquais lui proposa de le joindre à l'hôtel. Si Paulin n'a pas abordé sa sexualité, il avoua au Guadeloupéen son amour pour lui. En réalité, cette technique fut un mécanisme longtemps utilisé par Paulin afin de tester les potentielles limites et mesurer son influence sur les hommes qu'il souhaitait recruter, cherchant à reproduire le même schéma qu'avec Mathurin. Mais Thierry, le Guadeloupéen ne s'en rendit pas compte croyant en la sincérité de Paulin.

Cette perversion explique pourquoi Paulin, même au sein de sa tare psychiatrique demeure duel et complexe. S'il vit, au même titre que Georges, dans l'immédiateté sans se projeter, Paulin a toujours une longueur d'avance en tout et sur le cours des évènements. Ce fait se révèle par sa vie personnelle mais aussi par les crimes. Aucun obstacle ne lui résiste. Premièrement, Paulin est un grand analyste qui aime répandre la confusion. Avant même de les approcher, de les aborder, Paulin sait les décoder connaissant les rouages de leur provenance et ayant appris à reconnaître les différents mécanismes des environnements sociaux variés qu'il fréquente.

Puis, par rapport à sa vie personnelle, il ne s'avoue jamais vaincu, tout en vivant l'échec. Il échappe fréquemment à la justice avec aisance. Malade du SIDA, il parviendra, toujours dans cette même longueur d'avance sur les évènements qui se jouent contre lui, à échapper au jugement des hommes en rendant l'âme en 1989, deux ans avant son procès final, par la maîtrise du jeu du silence. Il ne leur dira jamais ce qu'ils attendaient et partira avec ses secrets.

Paulin n'est pas un être qui fonctionne à la pulsion comme Georges. Il est cérébral, extrêmement intelligent, observateur et peut faire preuve d'une grande patience et d'une force de persuasion.

En ce sens, Paulin est plus dangereux que Georges car ce dernier agit sous la pulsion, là où Paulin a une patience, une capacité à

manipuler sur la durée dès lors qu'un schéma s'opère dans sa tête pour parvenir au meurtre, au vol, à la destruction.
Et contrairement à Georges, Paulin fait preuve d'un grand contrôle.
"Paulin l'arrogant" est une image qu'il promeut pour atteindre l'élitisme. En réalité, au fur et à mesure que sa vie personnelle se déconstruit, son âme lui est retirée et il incarne le désenchantement.
Dans cet espace, il n'est plus Blanc, Noir, pauvre ou riche mais un être humain oublié qui observe l'absurdité du monde occidental dans lequel il évolue et qui lui fut présenté dans son enfance comme un lieu de succès.
Par la maladie qui le ronge, il sombre dans un cynisme, dans un monde où tout est déjà joué d'avance. Il méprise l'être humain dans son ensemble.
Il n'a aucun respect pour les amis d'une semaine qu'il se fait dès lors que le rejet qu'il subit dans l'enfance lui apprend à comprendre les profondeurs horribles de l'humain. Il sait combien l'argent facile peut éblouir ces connaissances et il n'hésite pas à leur offrir le luxe, le temps d'une soirée, afin de se promouvoir, lui.

En l'espace de trois ans pendant les meurtres, Paulin gagne du temps sur la vie. Sa vie. Au moment de son arrestation fortuite, il est déjà trop tard pour les policiers car il a déjà atteint le stade de la désillusion. Il a déjà vécu, vu et a accompli ses rêves, attendant la mort sans se débattre.

Sa mort qui le dérobe à la justice et qui fait de lui un innocent à vie, est l'ultime manifestation de son mépris face à la race humaine qui pour lui ne vaut rien tant elle est prévisible.

Avant de comprendre les motivations de Paulin, il faut tout d'abord chercher à interpréter son silence face à la société dans laquelle il évolue. Puisque l'abandon de ses parents qui lui volent sa vie le détruit, sa fin de vie n'est qu'une éternelle répétition, analyse de la vie humaine qu'il juge stupide.

Tout au long de son évolution, c'est l'être humain que Paulin étudie. Il fit de sa société sa scène. Il tue, observe, célèbre, profite du plaisir charnel et du consumérisme avant d'être arrêté et jugé. Dans ce cynisme, sa propre mère qui l'ignore toute sa vie, se présente devant les médias en 1987. Par le crime, Paulin attire l'attention sur lui et donc de Monette. Elle l'eut regardé pour la première fois.

Néanmoins, même si Monette se révèle, le "Paulin humain" est déjà mort, dès 1987. Ce dernier représente l'effondrement d'une jeunesse perdue dans la France des années 80.
Paulin a fait de l'âme humaine, par les fêtes organisées, un terrain de moquerie avant de partir.

CHAPITRE 8

SEXUALITÉ ET ANIMALISATION DES TUEURS NOIRS

Les médias n'hésitent pas à jouer sur les codes coloniaux qui s'appliquent à l'homme noir pour effrayer les spectateurs. Dès le début de la médiatisation des deux affaires, surtout pour celle de Paulin, les journalistes ne sont pas justes mais excités par le sensationnalisme. En ce sens, les codes et jeux de l'image sont primordiaux. Pourtant bel homme, bien vêtu et glamour, les photos qui circulent de Paulin en premier plan sont celles de sa mugshot, au moment de son arrestation. L'on ne saurait définir l'expression qui se lit sur son visage tant elle mêle le désespoir au début d'une rage grandissante. La photographie de cet homme métis aux cheveux blonds non coiffés fera le tour du monde réveillant les pires stéréotypes racistes de l'inconscient collectif occidental. En effet, l'exploitation médiatique des affaires Georges et Paulin n'aurait pas pu exister sans le jeu de l'animalisation des tueurs.

Pour les journalistes qui écrivent et filment, le message diffusé est très clair. Les deux tueurs en série ne sont pas des assassins car souffrant de tares psychologiques mentales non traitées, mais

parce qu'ils ont une sexualité brutale qui renvoie, implicitement, à la supposée bestialité innée de l'homme noir.
Les groupes afro descendants immigrés auxquels ils appartiennent ont clairement joué la carte de la soumission en tout afin d'éviter que leurs pires cauchemars ne se réalisent, puisque tous craignaient d'avoir parmi eux des tueurs et des violeurs qui attaqueraient surtout, des Blancs.
La bestialisation est aussi accentuée par les noms attribués par ces médias aux deux tueurs, tels que "La Bête de Basille" pour Georges et "Le Monstre de Montmartre" pour Paulin.
Les deux meurtriers ne sont pas des criminels comme les autres. Ils sont des Afro descendants, vivant dans une France qui peine à se familiariser aux populations noires présentes depuis les années 1960. En ce sens, pour beaucoup de Français manipulés par les journalistes, une rage disproportionnée à leur égard qui surpasse même la colère suscitée par les crimes, explose et les journalistes se laissent aller à des largesses inappropriées, là où une réserve est bien plus présente quant au traitement des tueurs en série blancs. Dans le cas de ces derniers, les corps judiciaires et psychiatriques s'investissent profondément afin de comprendre le cheminement, l'évolution personnelle qui mène au passage à

l'acte. Ces assassins blancs ont même droit à une forme de rédemption. Florence Rey qui assassina quatre personnes en compagnie de son petit-ami Audry Maupin en 1994, fut louée, considérée comme le symbole d'une jeunesse perdue et désenchantée. On eut lu sur son visage une fragilité, une candeur et la jeune femme fut pardonnée, là où Thierry Paulin n'a jamais eu droit à cette même forme de compassion car forcé de demeurer bloqué dans la sphère du tueur noir, brutal et homosexuel.

Les tueurs en série blancs en France sont bien plus nombreux car les cas comme ceux de Georges et Paulin représentent une infime minorité dans le profil de serial killers.

Mathurin et Paulin furent humiliés en raison de leur sexualité et ce traitement fut justifié par l'horreur des crimes commis. Dans le comble du voyeurisme, les médias ne se sont même pas penchés sur le cas des vieilles dames, sur leur identité et situation, dès lors que ces dernières furent elles aussi exploitées pour ce voyeurisme au même titre que leurs bourreaux.

Dans l'Affaire Paulin, personne ne cherche à comprendre et à réparer mais l'on veut profiter de la médiatisation afin de vendre davantage. Durant les auditions, les amants et amis de Mathurin

et Paulin doivent répondre de leurs activités sexuelles.
Un schéma de dégradation constant de la sexualité de l'homme noir gay prend effet. Nous sommes dans les années 80, au coeur de la crise sanitaire du SIDA.
Georges, en tant que Métis qui viole et assassine des femmes blanches, remplit les cases coloniales du stéréotype du Noir agressif, brutal et barbare qui menace l'ordre social. À cause de lui, aux yeux des racistes, les codes coloniaux qui criminalisent l'homme noir comme étant cet être naturellement agressif et ultrasexuel, prouvent être véridiques. Paulin quant à lui est une bête de foire, une anomalie car sa personnalité est faite de tous les stéréotypes haïs et méprisés à l'époque. Ainsi, son homosexualité, sa toxicomanie et sa négritude sont la raison pour laquelle il tue. Mathurin et lui sont introduits au monde tels des personnages grotesques qui sortent de l'ordinaire. Ils sont donc deux Noirs qui assassinent des vieilles dames blanches dans un climat de tension sociale où le Front National monte aussi dans les sondages.
Le racisme des médias dans l'Affaire Paulin est présent et les journalistes dans leurs reportages lient ouvertement origine étrangère et délinquance en traitant du 18ème arrondissement.

Le cas de Guy Georges, quant à la sexualité, s'inscrit dans la continuité de l'héritage post-colonial de l'histoire française. Premièrement, il fut conçu d'une manière particulière. Si la France de l'après-guerre rejette les mariages mixtes qui ne sont pas bien vus, si l'on se penche sur le témoignage de l'oncle de Georges mentionné plus tôt dans notre étude, il est intéressant de remarquer que ce dernier appuie la vie dissolue menée par sa mère et sa soeur Hélène par le fait que celles-ci choisissaient des amants noirs. Ces hommes, soldats n'ont pas échappé à la fétichisation sexuelle aux yeux des femmes blanches françaises comme Hélène Rampillon. Chez Paulin, si les membres de sa communauté vivent dans la précarité, c'est par la sexualité, ou l'ultra-sexualisation de leurs corps qu'ils peuvent espérer avoir une visibilité.

Ainsi, si les parents de Georges se sont aimés, car ayant vécu quelques temps ensemble, il fut conçu dans la fétichisation du corps de son père, avant d'être abandonné et rejeté par les deux parents sans aucune explication.

Toutefois, si la sexualité de ces Afro descendants semble bien trop compliquée à comprendre, ils sont, par essence, criminalisés et considérés comme des êtres sauvages, naturellement dominateurs qui sont un danger pour les femmes, surtout si elles sont blanches. En ce sens, Guy Georges n'est pas perçu comme un être humain tombé dans la mauvaise voie qui viole et assassine mais est exploré à travers le prisme post-colonial de l'agressivité sexuelle du mâle noir, qui, par essence, porte en lui la violence dans ses gênes.

Dans l'inconscient collectif en France, les codes de Georges renvoient aux temps coloniaux où le concept de "péril noir" ou *Black Peril*, présent dans les sociétés anglosaxones et post-esclavagistes françaises, répandait la crainte que l'homme noir puisse, en raison de sa violence innée, s'attaquer aux femmes blanches. Georges est donc ce rappel mythique et colonial qui fait de l'homme noir un être naturellement nocif pour les femmes blanches. Cela se constate par l'opposition d'images. Les *mugshots* sombres du tueur sont opposées aux visages beaux et lumineux des pauvres victimes, bien que des clichés beaux de Georges existent également.

Puisque l'on joue sur les codes coloniaux de la sexualité noire, les problèmes de base qui expliqueraient la plongée de ces tueurs dans le crime, ne sont pas évoqués massivement. Nous nous pencherons sur Paulin pour illustrer notre propos.

Plus de trente ans après sa mort, il est dit de Paulin que son SIDA fut un châtiment divin. Cette affirmation est totalement fausse puisque sa maladie est la conséquence d'une politique sanitaire déplorable pour les membres de sa catégorie plongés dans un triple rejet et donc dans une précarité. En raison de cette précarité, ces derniers n'ont pas la chance de suivre un traitement dans la durée. Beaucoup n'ont pas d'autres choix que de s'adonner à la prostitution pour survivre dans une société libérale. Que dire de l'usage de drogues? Il est récréatif mais il est surtout un moyen de supporter l'horreur du quotidien, comme le symbolise Mathurin.

Thierry Paulin est objectifié, et l'obsession des médias se pose sur son intimité qui est déconstruite et affichée sur la place publique. Ils veulent disséquer sa sexualité et ses pratiques. Ce cirque infernal renvoie une fois de plus à la vision coloniale de l'homme noir et de ses descriptions faites par les maîtres esclavagistes, soit un être fort, musclé, plus fort en raison de sa race, ultra sexuel car apte à se reproduire à la demande. Le racisme biologique est la base du traitement de Paulin.

Quant à leur profil criminel, un point essentiel diffère Paulin de Georges. L'un fut un violeur, et pas l'autre.

Guy Georges est un échec qui utilise le sexe pour dominer, détruire, humilier et briser. S'il cumulait les aventures, ses petites amies n'avaient rien remarqué d'étrange. Chez Thierry Paulin, la sexualité est excessive, s'inscrit dans l'immédiateté, l'abus et la dangerosité. Paulin traite son corps comme un déchet humain et use de la sexualité pour n'importe quelle raison, autre que le simple plaisir.

Là encore, une dichotomie et une contradiction naîssent chez le "Tueur de Vieilles Dames". Puisqu'il fut éduqué par un père qui porte l'importance sur l'apparence, Paulin nourrit la superficialité. Il passe ses journées à s'étudier devant le miroir, s'adore, dépense une bonne partie de son argent dans les vêtements, les chaussures de créateurs, pense à garder ses cheveux coiffés, et compte demeurer beau. Toutefois, il ne porte aucune attention à l'essentiel, soit son bien être mental et surtout physique.

Dans le milieu gay qu'il fréquente, Paulin est prisé. Athlétique, mesurant 1mètre85, il est beau et subit l'exotisation de son corps en tant qu'homme afro descendant auprès des hommes blancs.

Tout comme Mathurin, Paulin se vend, mais pas dans le même cadre. Mathurin endure une prostitution de rue, plus sauvage ou se donne dans un appartement où plusieurs hommes se présentent à lui, en travesti. Paulin se marchande à des hommes fortunés, plus âgés vivant à avenue Foch et jouit d'un meilleur cadre. Pourtant, par une triste ironie du sort, Mathurin qui se prostitue dans des conditions plus précaires, ne sera pas affecté par le SIDA, contrairement à Paulin.

La sexualité chez Paulin ne peut pas être comprise en dehors de la dimension politico-sociale. Rejetés par la société blanche française et par les Noirs en raison de leur homosexualité, le groupe de Paulin est exposé à une triple oppression que les membres tentent de gérer par l'évasion, via la prostitution, la drogue ou l'art du spectacle qui peut les exploiter. Elle est donc une arme utilisée pour résister à la pauvreté. Parmi les prostitué(e)s Noirs de ce Paris du début des années 80 se trouvent les délaissé(e)s du BUMIDOM, ces hommes et femmes n'ayant jamais pu supporter le système d'exploitation dans lequel ils ont été plongés. Démunis et incapables de rentrer sur leur île en raison du prix trop élevé du billet, certains ont sombré dans la drogue et le marchandage de leurs corps. Ainsi, la contamination du virus du SIDA par Paulin n'est pas un châtiment divin mais l'expression d'une crise sanitaire terrible qui affecte davantage les homosexuels noirs et descendants d'immigrés, pourtant laissés-pour-compte dans les sondages médicaux et par les médias. Paulin en fit malheureusement partie dès lors que sa sexualité fut une arme d'élévation politique, mais aussi un moyen de survie économique dans un système qui le laissait pour compte.

Paulin utilise le sexe pour n'importe quelle raison. Lorsqu'il ne sait pas où dormir, il se rend en boîte de nuit où il est certain de trouver des partenaires pour une nuit ou deux. Il donne son corps pour survivre, pour se lier d'amitié, pour dominer, pour manipuler, s'élever socialement, se socialiser, pour un plaisir occasionnel, pour répandre la confusion mais aussi pour se détruire dans sa quête suicidaire. La dissociation de Paulin s'établit aussi entre sa conscience, et son corps qu'il adule, adore mais traite avec un grand mépris.

Si rien ne le confirme, il serait probable que Paulin ait été une victime de violences sexuelles enfant, aux Antilles.

Qu'il s'agisse de Georges et Paulin, aucun des deux tueurs n'a une image respectable de leur corps.

Les deux tueurs portent en eux, à travers le sexe et leur violence criminelle une dimension suicidaire aux crimes qu'ils

commettent. Les deux souffrent de dépression nerveuse et veulent mourir. Ce fait s'explique notamment par les rapports rédigés par les experts. Selon eux, Guy Georges choisissait ses victimes car ils cherchait à éteindre, à tuer la vie qui émanait d'elles. Paulin, qui n'avait plus aucun espoir, trouvait en ses meurtres une expression de son mal-être mais il souhaitait aussi mourir en menant autrui avec lui, tout comme Guy Georges.
Que dire, donc du traitement des tueurs par la presse? Paulin fut celui qui fut le plus sexualisé. Il fut déconstruit, forcé d'apparaître comme une bête de foire.
En jouant sur ces codes racistes, leur personnalité violente fut justifiée par une sexualité déviante ancrée dans l'esprit colonial. Celle-ci visait à accentuer la monstruosité des deux assassins sans que l'on ne se penche sur le processus ayant pu les mener à suivre une telle voie de vie.
Ce racisme sous-jacent perpetré par les médias de l'époque, surtout dans l'affaire Paulin, explique le silence de la communauté antillaise. Si aucun Français ne considère que Heaulme, Fourniret, Louis, Dandonneau, Lelandais, Alègre, Rannucci et tant d'autres ont terni leur image en tant que peuple blanc dans le monde, pour les groupes afro descendants

conditionnés pour endurer la soumission, l'Affaire Paulin résonna comme la marque de la honte. Si tous avaient conscience de la raison derrière la poussée violente de ce jeune homme de vingt-cinq ans, ils choisirent de se murer dans le silence. Aucun intellectuel antillais, pas même Aimé Césaire n'a cherché à dénoncer le traitement médiatique raciste de Mathurin et Paulin, par peur de s'attirer les foudres dès lors que les deux jeunes avaient tué des femmes blanches. C'est aussi en raison de la sexualité que Paulin fut renié par les siens. Si les Antillais n'ont aucun problème à louer d'autres criminels comme Pierre-Just Marny, ils furent davantage dégoutés par la sexualité de Paulin que par ses crimes. Ce rejet de celui qui eut terni leur réputation déjà désastreuse auprès de la majorité qui ne les considère toujours pas, explique pourquoi Paulin fut abandonné aux médias qui l'ont traité de manière grotesque et à des neuropsychiatres ayant fait preuve d'amateurisme quant à l'analyse de sa personne. Si les autres tueurs en série ont droit à un rappel constant de leurs crimes, et que l'on traite de leur personnalité, Paulin n'a pas eu ce privilège, car plongé dans l'oubli. Son cas criminel ne fut pas exploité pour réparer les défaillances de la société du tout, mais pour soutenir des idéologies politiques extrêmistes de droite quant au traitement des immigrés, pour criminaliser l'homosexualité mais surtout pour nourrir le voyeurisme par rapport à ce jeune Afro descendant, bisexuel, qui, à la fin de son adolescence, s'est travesti.

La Déviance Sexuelle de Georges

Les viols commis par Georges ne rentrent pas dans le spectre de la sexualité du tout mais sont la manifestation de tares psychiatriques appuyées par l'expression des pulsions qui le régissent.

La France métropolitaine du début du Xxème siècle n'a pas de culture de lynchage quant aux relations interraciales/mixtes contrairement aux États-Unis. Les Français de cette période ont une fascination inappropriée pour la sexualité des Noirs ainsi que pour leurs corps. Si l'État colonise ailleurs, la population française n'est pas exposée aux groupes asiatique et africain.

Ces autres sont donc une curiosité aux yeux de ces Français restés sur le Vieux Continent. Puisque la propagande coloniale animalise et objectifie ces corps colonisés, le peuple français est manipulé à penser aux étrangers de manière inférieure. Les zoos humains prouvent notre point. En 1994, à Nantes, le biscuiterie

St-Michel finance en partie la création du Village Bamboula qui reproduit un village africain typique, exposant des musiciens et danseuses venus de la Côte d'Ivoire et se représentant, parfois nus devant les yeux émerveillés des passants, filmant.
Les stéréotypes sexuels abondent car le Noir est un objet, un meuble, une fantaisie qui suscite des questionnements au sein de la population française. Et cette réalité est aussi au coeur de la conception dysfonctionnelle de Georges. Les deux parents avaient une idée sexuellement réductrice de l'un et de l'autre. Du côté de Cartwright, les soldats américains débarquant en France tout au long des deux Guerres Mondiales furent motivés par une propagande de libération sexuelle. On promut l'idée que les femmes blanches françaises étaient bien plus libérées que les autres. Cette fausse idéologie a également mené à une vague de viols commis par les soldats américains à la fin de Deuxième Guerre Mondiale contre des femmes normandes. Si cette partie de l'histoire reste encore taboue pour les Américains, elle ne peut occulter la machination de dévaluation sexuelle dont les femmes françaises furent victimes. Puis, du côté d'Hélène Rampillon et de sa propre mère, il est clair que l'objectification de l'homme noir prend racine dans leur attirance envers ces soldats.

Plus tard, enfant et adolescent, Georges subit cette même objectification par Mme Morin qui ne le perçoit pas comme un être humain, mais comme son "petit Noir" à elle.

Guy Georges, il est clair, fut conçu dans la fétichisation sexuelle et non pas réellement dans l'amour véritable et ce, même si Cartwright et Rampillon avaient vécu une histoire sur près de deux années.

Donc, au sein même de sa conception, Georges est plongé dans la folie sexuelle avant l'abandon. Ce choc aurait-il influé sur sa décision de s'attaquer aux femmes par la sexualité qui renvoie au dérèglement dans lequel il fut conçu?

CHAPITRE 9

DES AFFAIRES CRIMINELLES DÉFAILLANTES

Georges et Paulin sont, avant d'être des tueurs, deux enfants que la mère-patrie fracture autant que la mère biologique et nourricière. On dit d'eux qu'ils sont des "monstres" afin de créer une distance entre les bonnes règles et valeurs de la République et leur violence inouïe sans que l'on ne veuille reconnaître qu'ils ne sont pas des êtres nés de nulle part, mais la fabrication, le produit des défaillances sociales, économiques et politiques de leur mère-patrie à leur égard.

Là, le discours raciste entendu à leur encontre ne fonctionne pas puisque les deux assassins sont Français. Si leur héritage afro fut mis en avant par les racistes qui ont voulu mêler immigration et criminalité, Georges et Paulin sont aussi des Blancs par le sang, mais surtout des Français. Paulin est un Martiniquais et Georges le fils d'une Française.

Ces deux affaires ne peuvent pas appuyer la thèse racialiste qui soutient l'idée que les immigrés sub-sahariens apportent le crime en France car elles mettent en lumière les dysfonctions entre enfants de la France et la mère-patrie.

Avant l'abandon de leurs parents dans la sphère familiale, Georges et Paulin sont les laissés-pour-compte de la France.
Georges symbolise cette France d'après-guerre qui se reconstruit et au sein de laquelle les rapports interraciaux sont difficiles.
La question raciale n'est évoquée que très légèrement chez Guy Georges, et est inexistante chez Paulin. En effet, à s'y pencher de plus près, on découvrirait alors que la République peut contribuer à la fabrication de ses propres "monstres".
La haine de Georges envers la société provient de sa naissance et du cynisme des institutions françaises à son égard. À la suite de son abandon, les institutions modifient son lieu de naissance et effacent les noms de ses parents afin de l'empêcher de pouvoir les retrouver. Il est donc comme trahi par trois fois.
Pour Paulin, la mère-patrie fait figure de mère abandonnante car elle favorise la création de laissés-pour-compte. En France, Paulin fait face à la désillusion, au mensonge de la propagande migratoire vendue aux Antilles. Il est non seulement déconstruit dans ce pays, mais surtout traité comme un citoyen de seconde zone en tant qu'Antillais, placé dans des sous-catégories qui le heurtent. Pire encore, ces institutions françaises ne lui ouvrent pas de voies.

Un pays élitiste, Mathurin et Paulin comme tous les autres enfants des arrivés par le BUMIDOM sont, dès la naissance, destinés à un futur déterminé car évoluant dans un État qui finit par les inscrire dans l'exploitation. Paulin symbolise l'échec de la politique migratoire antillaise et de la fracture de sa jeunesse.

Toutefois, une question demeure. Pourquoi l'Affaire Guy Georges fut-elle plus médiatisée que celle de Paulin tout au long des années?

La sous-médiatisation de Paulin à notre époque s'explique par deux faits. Premièrement, la police ne sort pas gagnante de cette affaire dès lors que le Martiniquais les humilie par deux fois. Puis, on aborde Paulin avec mépris en raison du racisme et de l'homophobie qui s'ajoutent à la violence des crimes. En effet, la presse de l'époque nous laisserait penser, en raison des articles rédigés, que la haine pour Paulin est davantage nourrie par son origine et sa sexualité que par la violence sociale elle-même.

Donc, puisque Paulin représente une anomalie pour ceux qui étaient menés à l'étudier, il fut oublié. Georges est arrêté à une époque différente. Nous sommes en 1998, à l'approche du nouveau millénaire et le Noir est un peu plus visible en France.

Son profil parait moins inhabituel que Paulin qui représente une complexité dans les années 80. Ce dernier étant bien trop en avance sur son temps.
La dissimulation de Paulin est aussi motivée par l'humiliation qu'il eut infligé à l'institution judiciaire. Par sa mort du SIDA en 1989, Paulin a gagné contre le justice car ayant échappé au procès des hommes, s'en allant avec ses secrets. Alors, dans un esprit de vengeance Mathurin sera jugé en seulement quatre jours. Seules trois familles des victimes se constituent parties civiles, tant les vieilles dames furent isolées, seules et sans famille. Par sa victoire sur la justice et le rappel de la défaillance policière dans cette affaire, et puisque la situation des personnes âgées n'a jamais changé en l'espace de quarante ans, les autorités craignent que la médiatisation de l'affaire ne puisse donner des idées aux nouvelles générations.
Si l'on parle d'abandon de la patrie pour les bourreaux, il faudrait aussi rappeler que la même réalité s'applique aux pauvres victimes. Les vieilles dames sont toujours autant isolées et rejetées de la sphère sociale capitaliste à notre époque.
Cet isolement renvoie à la violence de la structure politique capitaliste de la France qui ne donne pas de valeur aux individus

qui ne représentent plus rien dans le prisme de la valeur marchande. Paulin et ses victimes, sans le savoir se reflètaient à bien des égards, car aucun des deux partis ne fut privilégié.
Ces vieilles dames ont aussi été des laissées-pour-compte de la République. Elles ont été rendues invisibles et n'ont pas obtenu de justice. Les médias les ont aussi exploitées pour le sensationnalisme, mais ne se sont pas penchés sur l'identité, l'origine, leur héritage humain. Leur essence humaine fut réduite à leur mort cruelle, sans qu'aucun travail de mémoire n'ait été fait pour leur rendre hommage. Paulin appartenait à la sphère des isolés, des marginalisés et des abandonnés, au même titre que ces vieilles dames qu'il méprisait.
Chez Georges, c'est la place des femmes qui est remise en question. Ont-elles une place?
Pourtant jeunes et dynamiques, contrairement aux victimes de Paulin, le retard de la police démontre un manque de considération bien trop constant pour les victimes de viol.
Il a fallu attendre que les familles meurtries des victimes ne se lèvent afin d'encourager la justice à réagir.
En 1981, Nathalie David est agressée, âgée de dix-neuf ans, par Guy Georges. Elle est enceinte quand le tueur la bat, la viole et la

poignarde à plusieurs reprises. Malgré une plainte pour viol, la jeune femme et son compagnon sont ignorés par la police.

Et c'est seulememnt dix-sept ans plus tard, en 1998, au moment où le visage de Georges apparait dans les médias, qu'elle attaque l'État. Elle sera dédomagée.

Si le meurtre de Pascale Escarfail en 1991 est considéré comme la matrice de tous les autres assassinats commis par Georges, pourquoi les attaques des premières victimes du tueur ne comptent pas? Pourquoi l'attaque sur sa soeur adoptive au milieu des années 70 ou le viol sur Nathalie David ne pourraient pas, constituer la première matrice?

Même au coeur du procès de Guy Georges la même obsession morbide pour le sensationnalisme demeure. Les institutions établissent une hiérarchisation en fonction des victimes.

Celles qui furent attaquées avant 1991 ne sont pas considérées au même titre que celles qui furent assassinées à partir de 1991.

Puis, les victimes ne sont pas primordiales dès lors que les preuves matérielles et les descriptions faites par les premières femmes attaquées ne sont pas prises en compte.

Comme pour Nathalie David, ces femmes ne sont pas protégées et l'on pourrait même se demander si Guy Georges lui-même n'a pas bénéficié d'une couverture.

Ce dernier était, tout au long des années 80 et 90, connu des services de police pour agressions sexuelles, mais sortait et rentrait de prison comme bon lui semblait. Georges portait une arrogance envers ces institutions juridiques avec lesquelles il jouait comme il le désirait. Il jurait à chaque fois, à chaque sortie de recommencer. Pourtant, malgré les condamnations pour agressions, il bénéficiait toujours d'une protection. Celle-ci aurait-elle été motivée par le fait que le tueur ait été indic?

Sans la colère des familles des victimes, Georges aurait pu ne pas être arrêté.

Les deux assassins se sont joués de la police française qui fut, au moment où les Anglais, Américains se tournent vers la technologie médicale, en retard. En raison de ces défaillances, les deux auraient dû être arrêtés bien avant, épargnant ainsi les victimes.

Paulin fut arrêté en 1982 à la suite du braquage et ses empreintes furent relevées. Puis, à l'été 1986, lorsqu'il est appréhendé après avoir passé son dealer à tabac, ce dernier porte plainte pour coups et blessures et Paulin est incarcéré.

Là encore, ses empreintes ne sont pas relevées bien que la police de Paris ait ses traces papillaires depuis la série de meurtres de 1984. Celles-ci ne sont pas comparées à celles de Toulouse.
Il faudra attendre 1987 par le grand hasard, pour que le commissaire Francis Jacob ne l'arrête. La police avait donc les traces du "Tueur de Vieilles Dames" entre leurs mains depuis cinq ans, à dater de 1982.
Selon Patricia Tourancheau, spécialiste de l'Affaire Guy Georges, et auteure du livre *La Traque* qui inspira le film *L'Affaire SK1* sorti en 2015, le cas demeure tabou pour la police. Si l'affaire se solde par l'arrestation et le jugement du tueur et violeur, elle signe la honte de l'institution judiciaire française quant au traitement des victimes, qui ne sont pas prises au sérieux, et de la compétence quant au traitement des preuves matérielles et du grand retard technologique face au crime.
Aussi ironique que cela puisse paraître, ce sont ces deux tueurs qui ont permis à la police d'accéder à une révolution technique quant à la gestion du crime. Thierry Paulin permet à la justice de créer le FAED (Fichier Automatisé des Empreintes Digitales), et par Georges, le traçage par l'ADN entre en jeu.

Dans tous les cas, aussi bien chez Georges que chez Paulin, les deux assassins auraient pu être sauvés et poussés à entrer dans de bonnes voies.
Leur descente dans la mort s'explique par la solitude profonde dans laquelle ils furent placés. Rien dans leur adolescence, même en matière de violence n'est irrécupérable, mais ils sont lâchés au moment où ils sont dans la plus grande vulnérabilité.
Jeunes, ces enfants ne sont pas entendus, écoutés, ils sont marchandés, exploités, mais pas considérés.
Ils deviennent criminels car personne ne les a aidés à sortir de leurs failles. Paulin, en vingt-cinq ans de vie n'a jamais su rencontrer la bonne personne pour le motiver à changer. Georges non plus.
Ces familles avaient entre leurs mains des enfants brillants, au potentiel unique, qui furent négligés et rejetés à la moindre difficulté.
Si bien nourri et encouragé, Paulin aurait pu devenir le sauveur de sa vie par la réussite professionnelle et une icône noire, ouvrant les portes dans les années 80 et 90 pour les plus jeunes générations issues de sa condition dans le monde de la mode.

Georges aurait pu changer de voie, mais ces défaillances à leur égard ont mené au gachis humain pour eux, pour la société mais surtout pour les victimes. Les familles ont eu des décennies pour agir, mais n'ont rien fait.
Ces affaires regroupent toutes les questions liées à la justice.
Les personnalités hors normes des tueurs soulignent le retard des institutions françaises, mais ces cas mènent aussi la France à des révolutions judiciaires, bien tardives.
En d'autres termes, Guy Georges et Thierry Paulin ont été indirectement et directement encouragés à devenir des tueurs, aussi bien par la société, les familles, mais aussi par les institutions judiciaires clairement défaillantes, puisque leurs victimes n'avaient aucune importance, surtout pour Paulin.
Si bien encadrés et suivis, les deux tueurs auraient pu être sauvés et briller de manière positive.

CHAPITRE 10

PAULIN ET LES COMPLICES: CHOISISSAIT-IL SPÉCIFIQUEMENT DE JEUNES HOMMES ANTILLAIS?

L'arrestation de Paulin n'aura pas permis aux vieilles dames d'obtenir la justice, non seulement par sa mort soudaine, mais aussi par le procès écourté de Mathurin-qui ne dura que quatre jours- et par l'oubli des victimes dans la totalité.

En effet, le nombre de victimes connues est incomplet et les vieilles dames qui ont subi la violence de Paulin au centre de Paris et en banlieue, n'ont jamais été repertoriées.

Par peur, un grand nombre de vieilles dames n'a pas osé porter plainte bien que Paulin ait pu les avoir frappées.

Ce dernier vécut non seulement au centre de Paris, mais aussi en banlieue entre 1985 et jusqu'à son arrestation à Alfortville en 1986. Il reconnut auprès d'un de ses amants en 1985 avoir commis une agression cette même année. Pourtant, ces deux années restent troubles car les activités du tueur demeurent obscures. Surtout après la séparation avec Mathurin. S'il débute son ascension vers son embourgeoisement dès 1985, Paulin ne met pas en lumière sa vie. Si les attaques furent uniquement

repertoriées à Paris centre, il avait bien agressé et peut-être assassiné des vieilles dames en banlieue.
Mais combien de victimes furent oubliées?
Puis, un problème subsiste quant au décompte des victimes.
Entre 1984 et 1987, seules 21 victimes furent validées. Mais ce nombre est une nouvelle insulte aux dames tuées de la part de la justice. L'enquête n'est pas aboutie et une dysfonction apparaît. Paulin qui n'a rien à perdre reconnaît 21 meutres mais seuls 18 sont retenus contre lui. Il est soupçonné dans 38 affaires mais est reconnu comme officiellement auteur dans 21. Pourquoi?
Leur argument premier est que Paulin avait une méthode d'assassinat bien précise où les victimes étaient torturées puis étouffées, étranglées. En 1985, il continue à tuer seul mais dès la série de 1986, Bernard Laithier, commissaire, ainsi que ses collègues pensent qu'un nouveau complice commet des meutres avec lui.
En effet, dans cette série, la même méthode fut employée et calquée sur le plan établi avec Mathurin. Les victimes ont été suivies, puis ligotées, laissant présager que l'un des deux maintenait, maîtrisait pendant que Paulin fouillait et frappait. Dans d'autres cas, entre 1985 et 1987, les policiers et les

procureurs ont écarté l'évidence de l'implication de Paulin au simple motif que le mode opératoire du meurtre ne correspondait pas à la méthode "étouffement-étranglement". Certaines victimes avaient été poignardées ou blessées à l'arme blanche.
Néanmoins, cet élément de disqualification est irrecevable car Paulin usait d'objets tranchants semblables à des armes blanches dès 1984 avec Mathurin pour torturer les victimes.
Dès 1987, *Le Nouveau Détéctive,* ainsi que d'autres journaux français évoquent le cas particulier d'une victime.
En octobre 1987, plus d'un mois après sa sortie de prison, Mme Viarmé est retrouvée assassinée au 151 rue de la Roquette.
Bien évidemment, Paulin nie ce meurtre. Pourtant, des objets appartenant à cette femme sont retrouvés chez des amis à lui!
Là encore, les policiers n'ont pas creusé.
En raison de la rapidité du crime commis, nous pouvons nous interroger sur deux choses. Mme Viarmé a-t-elle été espionnée par Paulin depuis plusieurs jours, soit une pratique qu'il utilisait depuis 1985? Ou a-t-il pu avoir envoyé un complice la tuer à sa place? Des témoins interrogés en 1987 avaient affirmé avoir vu un jeune homme noir faire le guet dans l'immeuble et ce dernier n'était pas Paulin.

Thierry Paulin formait-il d'autres complices au meurtre et au vol? Donc, la police a non seulement bâclé l'affaire par le manque d'efforts fournis dans la recherche des complices dont les traces furent retrouvées dans les appartements de certaines victimes, mais cette ignorance des preuves matérielles attestant de l'existance d'autres tueurs permet à Paulin de reproduire le crime parfait à plusieurs reprises!

PAULIN ET SES AMIS DE LA "HAUTE"

Qu'en est-il de ses fréquentations? Comme mentionné au début de notre étude, Paulin n'était pas un homme qui aspirait à être connu car il jouissait déjà d'une notoriété dans le monde parisien de ces années là.

Il occupait une place importance au sein de la haute et avait des connections directes avec de jeunes hommes travaillant à l'Assemblée Nationale, dans le mannequinat, dans la communication, dans le show business et était également l'ami de diplomates africains avec lesquels il sortait au New Copa, une discothèque fréquentée par les Africains de l'élite. C'est d'ailleurs avec ces riches africains qu'il passa sa dernière soirée d'homme libre vêtu d'un long manteau design gris et onéreux.

Paulin a des liens, partage des secrets et forme des alliances avec ces individus qui ont préféré garder silence après l'explosion de l'affaire du *Tueur de Vieilles Dames*.

Afin d'illustrer notre propos, parlons de la soirée de novembre 1987 au Tourtour pour la célébration de ses vingt-quatre ans. Paulin est presque au sommet de l'élite. Pour ses cartes d'invitation, son ami assistant parlementaire de Gilbert Barbier depuis 1985 envoie les cartons d'invitation depuis l'adresse de ce dernier au Palais Bourbon.

Selon les médias, Paulin voulait impressioner les convives.

En réalité, il organisa sa fête et mit l'accent sur le raffinement car des membres de la classe élitiste était la clientèle principale de cette soirée spécifique. Elle n'est pas une simple fête d'anniversaire mais permet d'afficher et de sceller ses liens d'amitié avec ces gens issus de la haute sphère.

Cet anniversaire est un geste politique. Ces fêtes à partir de 1985 lui permettent de trôner au centre d'un réseau puissant d'individus issus de l'élite française mais aussi africaine.

Qui étaient donc ces invités? Qui étaient donc ces diplomates africains? Pourquoi un assistant parlementaire travaillant pour Gilbert Barbier aurait-il pris le risque de s'associer à un Thierry

Paulin, délinquant, mais surtout, violent?
Qui étaient ces étudiants? Et pourquoi Paulin était un point central dans leur vie de jeunes bourgeois français issus de bonnes familles?
Thierry Paulin était un pont constant entre le monde légal et illégal et avait les clés d'entrée et de sortie du monde du show business. Il lui aurait été impossible de rencontrer Line Renaud sans avoir été à l'aise dans ce milieu qu'il affectionnait tant.
Au moment de son incarcération en 1988, Paulin avoue avoir une quantité d'informations compromettantes sur les gens du milieu. Pourtant, les journalistes ne cherchent pas à creuser pour en savoir plus. Il est le dealer, tout au long des années 1983 à 1987, du Paris bourgeois riche et jeune vivant à Avenue Foch et permet à ces jeunes délinquants issus de ces familles fortunées, d'approfondir leurs connections dans le monde de la nuit.
Quel pacte liait ces hommes issus de la sphère politique parisienne à Paulin et que sont-ils devenus trois décades après la mort du tueur en série? Et pourquoi ces futurs diplomates n'ont pas été étudiés en plus grande profondeur par la police. Surtout si Paulin avait plusieurs complices?

Aux yeux de ces personnes, il est clair, Paulin représentait un symbole spécial dans le cadre de leurs activités nocturnes.
Et sa mort soudaine, qui permit à l'enquête de dépasser plusieurs zones sous silence, a donc aidé à laisser courir plusieurs complices qui n'ont jamais été arrêtés, mais aussi de ne pas chercher à comprendre l'étendue des crimes commis.
Combien de vedettes du show business français, encore actives à notre époque, auraient intérêt à dissimuler leurs alliances avec Paulin, afin de se protéger?
Lors d'un procès-verbal datant de 1987, un amant d'un soir de Paulin rencontré dans la boîte de nuit le B.H juste après sa sortie de prison, témoigne auprès des enquêteurs. Le tueur avait pour habitude de se rendre à des rendez-vous avec ses amis, ou ses connaissances accompagné d'au moins un amant, sûrement en guise de protection ou de témoin. Ces rencontres avaient lieu en pleine journée ou en fin d'après-midi.
Ce jeune homme déclara aux enquêteurs s'être rendu aux côtés de Paulin dans des quartiers riches de la capitale. Là, le Martiniquais allait retrouver des connaissances, décrites comme des amis, qui lui remettaient des chèques aux grosses sommes.

Selon le témoin et amant de Paulin, les individus n'échangèrent pas de mots, mais le tueur prit les chèques avant de repartir moins de dix minutes après son arrivée.

Ces amis faisaient partie de la classe parisienne la plus riche et les alliances créees avec Paulin surpassaient le simple trafic de drogues. Bien que mythomane avéré, l'assassin parlait de contrats à signer à Toulouse valant trente millions de francs.

A-t-il eu des liens concrets avec le grand banditisme parisien?

Et si non, que trafiquait-il auprès de cette caste de jeunes bourgeois parisiens riches dont les membres pouvaient lui remettre des chèques d'une si grosse somme?

Il est évident que le récit officiel sur le vol des vieilles dames ne tient pas. Paulin diversifiait ses sources de revenus.

Comme mentionné au début de notre étude, l'année 1984 démontre que le motif des assassinats est purement financier. C'est à partir de 1985 que Paulin devient drogué aux meurtres, puisqu'il inflige des tortures par pur plaisir.

Il serait plausible que l'argent n'ait peut-être pas toujours été le mobile principal dans les crimes de Paulin, dès lors que des activités extérieures et criminelles entretenues avec ses amis bourgeois pouvaient lui rapporter bien plus.

Toutefois, comme nous savons que Paulin fréquentait les puissants à Paris, il est certain que le récit officiel des vieilles dames et de leur tueur présenté comme un marginal déséquilibré et travesti, a su rassurer les hommes et femmes du show business ou du monde de la nuit, riches, qui auraient pu avoir scellé des pactes avec Paulin dans des activités occultes et illégales.

PAULIN ET SES COMPLICES: CHERCHAIT-IL PARTICULIÈREMENT DE JEUNES HOMMES NOIRS?

Thierry Paulin n'avait pas pour habitude de suivre un cheminement criminel risqué et périlleux. Il aborde les meurtres comme un professionnel de la monstruosité et fait preuve d'un grand détachement au moment des attaques et des assassinats.
Afin de perfectionner ses crimes, il ne s'empêche pas d'évoluer de manière perverse dans la façon d'opérer, mais a pour base l'application d'un schéma auparavant bien établi qu'il mémorise, puis reproduit méthodiquement.
S'il pose les bases d'un plan qui prouve être une réussite, il le reproduit à des degrés divers en fonction des adaptations qui lui sont propres à lui et à sa psyché perverse.

Cependant, avant de répondre à notre question, une problématique se profile à l'horizon.
Paulin avait-il eu le désir de tuer avant de rencontrer Mathurin, ou cette envie naît-elle quelques temps après leur rencontre?
Après l'attaque de 1982, Paulin en commit une autre dès 1983, mais celle-ci ne fut pas repertoriée. Qui a-t-il attaqué et pourquoi?
Il frappe à nouveau en 1983 car il veut ressentir cette toute-puissance du braquage de 1982. Ainsi, c'est durant cette année de 1982 à 1983 qu'un profil de sociopathe se dessine déjà.
Toutefois, rien ne prouve que Paulin ait prévu de tuer avec Mathurin avant la série de 1984.
En effet, les vieilles dames n'étaient qu'une deuxième option avancée par Paulin puisque les deux jeunes hommes volaient principalement dans le métro. Jugeant cette méthode bien trop risquée, Paulin pensa donc à élaborer les vols aux domiciles des vieilles dames.
Néanmoins, un problème demeure. Les faits mentionnés plus hauts peuvent aussi bien être le fruit du hasard que de la manipulation de Paulin.
Le tueur, même au plus profond de son désespoir et de l'échec, a toujours une longueur d'avance sur son temps, et sur le temps.

Cette réalité est symbolisée par son arrestation.
Bien qu'appréhendé, il sait, par la maladie, qu'il ne tiendra pas pour son procès et se joue des policiers. Il part avec ses secrets, tout en laissant la police fouiller et découvrir ce qu'il ne confessera jamais. Par pure malice, mais aussi par mépris.
En ce sens, en raison de cette avance sur son temps, il est indéniable que Paulin ait voulu tuer, mais ce dernier a pu avoir été retenu en raison de sa lâcheté, car n'ayant pas voulu s'engager tout seul. Il craignait la solitude totale et aimait pervertir ses amis d'une semaine en les impliquant, de manière implicite, dans ses manoeuvres illégales.
Combien d'autres attaques Paulin a-t-il pu commettre entre 1982 et 1983?
Ainsi, puisqu'il pense toujours à reproduire des schémas qu'il connait et qui ont prouvé être des succès, il est plus que probable que le ou les complices choisis pour les séries de 1986 et de 1987 (peut-être même de 1985 également) aient été de jeunes hommes noirs d'origine antillaise. Soit un profil qui correspondait à celui de Jean-Thierry Mathurin.
Le monde homosexuel que fréquente Paulin est formé de plusieurs mondes, et la sphère des hommes noirs homosexuels et

bisexuels constitue à elle seule une structure bien particulière fondée sur le secret, l'entraide communautaire, la dépression, le désespoir. Puisque les homosexuels blancs sont déjà victimes du rejet social en raison de l'homophobie des années 80, le sous-groupe des antillais gays est d'autant plus marginalisé.

Face au crime, les membres de cette structure ne se livrent pas facilement car étant triplement exclus. Même dans la violence, ils se protègent.

Au cours de son procès en décembre 1991, Jean-Thierry Mathurin pourtant acculé par les retombées judiciaires, chargea Paulin mais ne confia rien des échanges personnels entre les deux.

Il demeura méfiant du corps judiciaire.

Il était donc plus simple à Paulin de faire garder le secret du meurtre à des complices d'origine afro descendante en raison de leur problématique socio-politique spécifique car les ayant isolés du reste de la vie française, parisienne.

Au lendemain de son arrestation, des individus blancs comme noirs sont invités à se présenter au poste de police. Amis, amants ou collègues de Paulin parlent, les uns après les autres.

Dans le climat homophobe social de cette époque, ils sont, pour beaucoup, forcés de faire état de leurs pratiques sexuelles.

Toutefois, si nous savons que Paulin exploitait ses amants blancs pour l'argent car possédant plus de moyens que lui, son comportement vis-à-vis de ses amis ou rencontres antillais est particulier et rappelle son attitude initiale à l'égard de Mathurin.
Contrairement aux récits des médias, après la violente dispute de 1984 avec Monette, Paulin n'a pas directement emmenagé avec Mathurin. Il vécut, et ce dès 1983 et début 1984, seul, dans des chambres de bonnes. Sa cohabitation avec Mathurin s'est faite progressivement.
Thierry Paulin séduit Mathurin et l'introduit dans sa vie par la grande porte. Dans ce Paris du tout début des années 80, où l'homme noir est invisible, Paulin, qui semble riche, nourrit l'apparence et a déjà établi son réseau car ayant été serveur dans différents bars et restaurants du centre des Halles avant sa rencontre avec Mathurin.
Comme mentionné dans nos chapitres précédents, il était déjà très connu. Son succès, ou ce qui semble en être un, éblouit le jeune Jean-Thierry Mathurin, tout juste âgé de dix-huit ans.
Ce dernier voit en Paulin un exemple de réussite, en tant que jeune homme noir. Afin de le manipuler davantage, Paulin attire Mathurin par les portes du show business qu'il connait et par le

monde qu'il fréquente. Le jeune Mathurin, incrédule, le suit avec confiance.

Paulin règle toutes les notes, l'invite au restaurant, le présente à des hommes importants du milieu, lui permet de fréquenter des mannequins et de pouvoir danser comme il en rêve.

C'est ce confort qui rassure Mathurin.

Conscient de l'invisibilité de l'homme noir dans les médias et dans ce groupe social parisien élitiste du monde du spectacle et de la politique, Paulin sait que sa réussite, même fausse, attirera davantage les jeunes hommes issus de sa communauté.

Puisqu'il semble posséder de l'argent, il sait qu'il inspirera en eux une confiance en projetant l'image de l'homme noir ayant trouvé succès là où eux ont fait face à l' échec.

Afin de les dominer, Paulin se doit de créer un climat de confiance par cette fausse richesse. Il se doit d'apparaître à leurs yeux comme un grand frère, comme un roc prêt à aider et à faire prospérer les siens.

Puis, après la richesse, il crée un lien par la proximité des origines. Les Antillais sont isolés en France, surtout à Paris et leur présence est encore plus minime et rare dans le monde de la nuit parisien des années 80 et surtout homosexuel.

Il faut attendre la toute fin des années 80 et le début des années 90, avec l'explosion du hip-hop, pour que les fréquentations du Palace et de bon nombre de discothèques chéries par Paulin ne changent.

En cette fin de décennie, au moment où il se trouve en prison, les Afro descendants, surtout Antillais, commencent à fréquenter le centre de Paris.

Donc, ces amis et/ou amants d'origine antillaise de Paulin sont aussi marginalisés et isolés que lui.

Dans leur souffrance, car faisant face à une triple exclusion, en raison de leur couleur de peau, de leur sexualité et de leur précarité, Paulin qui apparaît riche, devient à leurs yeux, une figure de stabilité.

Donc, Paulin repère aussi bien ses victimes que ses futurs complices dans ces lieux de rencontre.

Paulin aimait la compagnie des jeunes et même plus jeunes, notamment des étudiants qu'il manipulait sans vergogne.

En 1985 et 1987, il continuait à se rendre en discothèque pour célébrer et sceller ses connections, mais aussi pour trouver des complices.

S'il devait chercher un profil de complice, il se dirigerait vers un jeune homme noir pour reproduire sa relation avec Mathurin.
Surtout si la proximité communautaire aurait pu lui permettre de s'assurer du silence du complice.
Il lui fallait favoriser ou nourrir une amitié fondée sur le principe de l'attache émotionnelle. Le ou les complices souffraient sûrement d'un manque affectif, étaient seuls à Paris, éloignés de leurs proches, subissaient probablement un déracinement et se présentaient, donc, comme étant fragiles.
Paulin, selon les procès-verbaux de ses amants rencontrés en 1987, jouait la carte de l'affinité culturelle pour développer un lien avec ces Antillais afin de les étudier dans leurs faiblesses.
En décembre 1987, le procès-verbal d'un ex-amant de Paulin, d'origine antillaise, rencontré au B.H met en avant cette hypothèse.
Mais c'est surtout par Thierry "Le Guadeloupéen", dernier colocataire de Paulin à l'hôtel du Cygne en 1987, que cette théorie paraît plus que criante.
Originaire de Grenoble, le jeune Guadeloupéen né en 1964 rencontre Paulin dans un bar des Halles en octobre 1987.
Il n'a pas de qualification, a arrêté l'école à dix-sept ans, avant

d'avoir effectué son service militaire.
Sans displôme, "Le Guadeloupéen" est jeune, un peu vagabond et instable car n'ayant aucun domicile fixe. Ce dernier prétend ne pas avoir tué avec Paulin ou agressé et dit être arrivé à Paris en octobre 1987.
Il vit de petits jobs, travaille aussi dans la restauration en tant que barman et aspire aussi à entrer dans le showbusiness car il a travaillé comme figurant. Fait extrêmement troublant, Thierry "Le Guadeloupéen" a aussi vécu rue des Trois Frères, là où Mathurin et Paulin ont commis un meurtre au cours de la première série de 1984.
Tout comme pour Mathurin, Paulin attire "Le Guadeloupéen" par l'argent, bien évidemment, mais il tente aussi de l'éblouir en l'invitant à entrer dans les meilleurs bars et restaurants parisiens. Si "Le Guadeloupéen" ne demande pas d'argent à Paulin, il est invité aux fêtes d'anniversaires organisées par ce dernier, même aux plus intimistes. Pire. Lorsque Paulin retrouve ses amis bourgeois délinquants parisiens, il convie également "Le Guadeloupéen" qui ne comprend pas que l'amitié qui lie ces jeunes hommes est avant tout criminelle.

En moins d'un mois, Paulin et "Le Guadeloupéen" parviennent à vivre ensemble et à se lier l'un à l'autre.

Il est seul et vient de monter sur Paris prévoyant un voyage à l'étranger.

Paulin, par gentillesse apparente, l'invite à rester avec lui à l'hôtel du Cygne.

Selon Thierry, le tueur semblait avoir beaucoup d'argent et donnait l'impression d'être issu d'un milieu social bien plus élevé.

Il le croit donc riche mais ne lui demande pas d'argent.

Toutefois, il est hétérosexuel et ne comprendra bien plus tard la sexualité de Paulin, après que ce dernier lui ait avoué son amour pour lui.

Tout ceci relève en réalité d'une technique de manipulation de la part de Paulin qui cherche à étudier le Guadeloupéen, à tester ses limites en vue de faire de lui un potentiel allié dans les crimes.

Comme pour Mathurin, après s'être lié d'amitié à ces nouveaux amis d'origine antillaise, Paulin avait l'habitude de les inclure dans son cercle, dans le show business afin de les rendre importants et de créer une relation de confiance, pour que le nouvel ami se sente spécial.

Après la fête du Tourtour, Paulin avait prévu d'organiser une autre soirée pour le 4 décembre 1987, mais celle-ci fut annulée en raison de son arrestation le 1er décembre.
Et Thierry "Le Guadeloupéen" fut chargé de s'occuper de la décoration. Donc, en l'incluant dans ses plans, Paulin comptait l'exploiter tôt ou tard pour assassiner ou agir dans le crime.
Le Guadeloupéen fut également considéré comme un suspect au moment de son arrestation.
Ce dernier fut invité par Paulin dans sa chambre d'hôtel dans le but d'en faire un nouveau complice, sans qu'il n'ait pu s'en rendre compte, croyant naïvement à la bonne sincérité du *Tueur de Vieilles Dames*.
Les coupures des journaux des années 80 mettent également en lumière un fait intéressant. Si Paulin n'a pas été le seul tueur de vieilles dames dans les années 80 à Paris, il domine les autres par le nombre de victimes, il est vrai.
Pourtant, des journalistes et des policiers ont su receuillir des témoignages de vieilles dames ayant été agressées et laissées pour mortes, plus spécifiquement au cours des séries de 1985 et 1986. Dans l'un de ces journaux, Le Parisien, un portrait-robot est diffusé. "*C'est Le Tueur du XVIIIème*", peut-on y lire. Toutefois,

l'assassin dessiné ne ressemble en aucun cas à Thierry Paulin puisqu'il s'agit d'un homme blanc.

Au cours de l'année 1986-1987, les portraits dépeignent aussi des hommes blancs qui ne ressemblent pas à Paulin.

Deux interprétations sont donc évidentes.

Ces hommes blancs dessinés sont soit des coupables qui ont attaqué d'autres vieilles dames. Néanmoins, ces victimes ne sont pas liées à Thierry Paulin. Ou bien, dans une deuxième hypothèse, ces visages reproduits par portrait seraient ceux de complices que le Martiniquais a soit formé et envoyé pour tuer, soit exploité comme guetteur au moment où lui seul commettait les meurtres.

Une réalité demeure troublante.

Jean-Thierry Mathurin fut arrêté le 2 décembre 1987 car Thierry Paulin l'a dénoncé pour se venger de leur séparation de 1985.

Mathurin affirme avoir quitté Paulin car ne supportant plus le souvenir des meurtres.

Si cette raison est bien plus que plausible et acceptable, la dispute qui mène à la séparation des deux jeunes hommes est bien plus profonde, et si grande dans le coeur de Paulin qu'elle pousse ce dernier à tenter de se suicider et à sombrer dans un état de sociopathie et de psychose totale.

Paulin dénonça Mathurin pour se venger et pour l'entraîner dans sa chute ultime.

Pourtant, si les policiers savent que des coupables courent dans la nature, Paulin ne les dénoncera jamais.

Il n'en a pas peur, mais préfère leur laisser la vie sauve, surtout s'il a conscience de les avoir exploités dans leur désespoir communautaire commun à tous. Cette compassion possible n'a pas été appliquée à Mathurin qui, avait pourtant tenté de remettre sa vie en ordre, loin de lui.

Par le simple fait de ne pas avoir dénoncé un autre complice, Paulin aurait donc eu conscience de sa propre perversion et du fait qu'il ait lui-même voulu sciemment exploiter l'innocence et la perdition chez un autre jeune homme d'ascendance antillaise, plus jeune que lui. Mais Mathurin, lui, devait payer pour une raison qui lui fut propre.

Comment la France, pourtant habituée par la politique à dominer des groupes afro descendants depuis plusieurs siècles, perçoit-elle ces derniers? Surtout quand l'Antillais, par sa condition historique et sociale est une création esclavagiste française?
Paulin et Georges ont tous deux exprimé dans l'adolescence une violence qui fut, chez Georges, analysée par un psychiatre. Pourtant, ni la famille, ni les institutions n'ont jugé bon d'approfondir leurs méthodes pour combler leurs tares.
Pire encore. Quarante ans après la première série de meurtres de Paulin, et plus de vingt ans après l'arrestation de Guy Georges, le corps psychiatrique français demeure toujours aussi fermé à la connaissance du fonctionnement de la psyché noire.
Les banlieues pullulent de profils psychopathiques en devenir pour les mêmes raisons. Les enfants de réfugiés africains ayant quitté l'Afrique pour fuir la guerre gardent en eux des souvenirs d'horreur jamais exprimés. Cette folie s'accroit par la vie fermée et précaire dans les banlieues, une sphère où le temps semble s'être figé, pour laisser place à l'ennui.

La marginalisation de ces populations aux tares non traitées peut donner naissance à de nouveaux profils violents similaires à ceux de Georges et Paulin, surtout quand le statut des vieilles dames et des jeunes femmes n'a pas changé.
Malgré l'existence tragique de Guy Georges et de Thierry Paulin, il semblerait que le monde médical ne considère toujours pas l'homme noir, dans notre spectre post-colonial, comme un individu à part entière qui mériterait d'être analysé, compris dans sa profondeur et complexité. La violence de l'expérience noire en Occident n'est pas reconnue et encore moins considérée comme un facteur valide qui encouragerait la fracture mentale d'un Afro descendant, qu'il soit métis ou non.
Paulin, qui fut abandonné au sein de sa famille, provient d'une structure antillaise maltraitante dont le fonctionnement n'est pas connu par les autorités.
Aux yeux des médias, le tueur doit demeurer cette bête homosexuelle ultrasexualisée sanguinaire qui ne mérite pas que son profil ne soit étudié avec rigueur.
Il en est de même pour Georges qui est le produit de l'échec des structures françaises à l'égard des isolés de la société.

Leur violence qui eut fasciné, révolté, n'inspire pas de changements quant à l'évolution des autres générations de Noirs ayant grandi au coeur de la France post-coloniale.
Guy Georges et Thierry Paulin ont été les deux seuls tueurs en série Afro descendants en France. Leur basculement dans la violence fut non seulement tragique, mais elle fut aussi le résultat de l'échec du fonctionnement des institutions françaises juridiques et médicales. Si reconnus et suivis dès leur adolescence car ayant manifesté des problèmes intérieurs, les deux hommes auraient pu être sauvés. Rien chez les deux tueurs n'est irrécupérable avant la première agression commise.
Puis, par rapport aux cas des deux assassins, une réalité demeure. Les tueurs en série ne sont pas des individus nés de nulle part mais bien les produits de leur société.
Tout individu citoyen est susceptible de devenir un danger dès lors que sa stabilité psychique dépend du déclenchement de la fracture de sa psyché si jamais exposée à une succession d'échecs et ou de chocs traumatisants.
Chaque cas de tueur en série devrait nous pousser à chercher de quelles manières nos dynamiques d'échange en tant que membres de la société pourraient conduire à freiner l'émergence de

personnalités fragiles. Ces deux assassins sont perçus comme des ennemis mais ils appartiennent, en réalité, à une chaîne humaine qui implique différents facteurs. Chez eux, il faut attendre des décennies avant de les voir plonger dans une folie finale.

Puisque Thierry Paulin est décédé le 16 avril 1989 à l'âge de vingt-cinq ans, avant son procès, il échappa à son jugement et demeurera éternellement un présumé coupable dans l'affaire des vieilles dames. Guy Georges quant à lui sera probablement libre un jour. Toutefois, une question inquiète. Puisqu'il eut l'habitude d'agir en fonction de pulsions, peut-il s'en sortir dans le futur sans jamais agresser à nouveau? Âgé de soixante ans, obèse et fiancé, Georges sera accompagné et suivi pour sa sortie, mais qui pourrait affirmer qu'il ne recommencera pas?

Si son avocate Me Frédérique Pons s'est appuyée sur l'expertise d'un des quelques psychiatres de Georges qui considère que le tueur aurait la possibilité de s'en sortir, l'assassin fait face à un bloquage, en raison du manque de progrès de la psychiatrie française face à la question noire.

Comme dans la continuité de sa vie, Georges n'est perçu qu'à partir d'une moitié, et n'est pas considéré dans sa totalité dès lors que chaque expert l'exploite à sa guise.

Pour certains psychiatres, le déchirement intérieur de Georges représente une fascination grandiose.
Ainsi, le tueur, torturé dans son être, ne devient qu'un cas qui surpasse tous les autres en raison de l'obsession pour le voyeurisme morbide. Les médias quant à eux ne cherchent pas à comprendre sa part humaine, mais se focalisent uniquement sur le monstre. Dans un même cas, Mamadou Traoré et Fabienne Kabou, tous deux atteints de maladies psychiatriques graves, ne nourrissent pas la même fascination. Le voyeurisme chez ces Afro descendants malades, occulte la question de la guérison, pour les victimes, les familles de ces dernières et les tueurs.
En ce sens, ces techniques voyeuristes employées chez Georges, sont similaires à celles de Paulin dans les années 80.
Les deux Afro descendants sont donc, une fois de plus malgré les années passées, objectifiés et non présentés comme des êtres humains ayant choisi la mauvaise voie.
Il n'y a, dans cette optique, aucun désir de réparation ou d'accompagnement dans le deuil pour les familles des victimes, traumatisées à vie car chaque camp de pouvoir cherche son propre intérêt.

Le crime, aussi bien chez Georges que Paulin, part d'une grande souffrance qui ne guérit jamais dès lors que le groupe psychiatrique en charge ne cherche pas à remédier à cette douleur.
En ce sens, pour Georges, le diagnostic qui lui est présenté est incomplet et ses chances de succès dans l'ère qui mènera à sa libération sont menacées de s'effondrer.
La guérison du tueur pourrait voir le jour si les groupes de pouvoir se décidaient à lui expliquer les causes derrière sa folie.
Par les questions posées à la cour au moment avant sa délibération en 2001, Georges cherche aussi à se comprendre lui-même dans sa brisure intérieure. Il veut être sauvé et se sauver de son état mais n'y parvient pas, dès lors que les psychiatres qui se braquent sur leurs concepts pré-établis face à son profil, ne lui fournissent pas les clés nécessaires à sa guérison, qui serait possible.
Bien que personnage central de tous ces drames, Georges est placé, par le biais de la justice, mais surtout de la psychiatrie, au coeur d'un spectacle macabre au sein duquel le maintien du mental du tueur dans l'ombre ressemble à un jeu excitant par lequel chaque expert peut nourrir ses théories les plus folles.

Georges a nourri une haine contre la société en raison de son abandon parental, mais cette rancune ne lui est pas expliquée, et encore moins par le prisme de l'expérience noire.

Ainsi, si des structures avaient été adaptées à la compréhension de sa psyché, si les institutions françaises avaient songé à approfondir la question des effets de la brutalité de l'expérience noire française sur la psyché de ceux qui peuvent l'endurer, la guérison de Georges aurait pu aboutir, car un effort aurait été proposé pour le comprendre dans sa totalité.

C'est donc la question de la réinsertion qui peut se poser.

La prison doit-elle avoir pour objectif de punir brutalement ou de chercher à faire entendre au criminel la raison derrière ses actes afin de l'aider, dans la mesure du possible, à devenir un meilleur être humain? Si la police française considère l'affaire Guy Georges comme taboue en raison des défaillances, il faut surtout souligner le fait que le corps psychiatrique cherche à analyser le tueur-violeur pour accroître le voyeurisme, mais là, dans cette démarche, sa guérison ne semble pas être prioritaire.

Toutefois, comme pour ses victimes de viol qui n'ont pas été entendues et respectées par la police dans les années 1980, ces institutions cherchent tout d'abord leurs propres intérêts, et ont laissé le criminel poursuivre sa cavale meurtrière, criminelle bien que les experts psychiatres aient décelé un problème en lui, dès l'adolescence dans les années 1970.

Enfin, notre étude pose également la question suivante.

La France refuse d'établir des statistiques éthniques et rejette la notion de "race" sur le plan juridique. Toutefois, bien que personne ne puisse affirmer que les deux hommes ne se soient un jour connus, leur carrière criminelle et leur vie personnelle se reflètent. Ils démontrent à eux deux que certains agissements peuvent être propres à certains groupes spécifiques de la société qui partagent un certain background social, racial et historique.

En ce sens, faut-il racialiser le monde médical et judiciaire dès lors que les deux hommes partagent les mêmes modes de fonctionnement? Faut-il classifier afin de permettre au groupe psychiatrique de mieux comprendre et étudier les patients dans leur profondeur en vue de trouver de meilleures méthodes de guérison?

Si cette distinction de populations devait être établie au sein des structures médicales et judiciaires françaises, elle poserait le problème de l'impact du racisme, du déracinement et de la fracture du corps noir au sein de la société blanche.

Et confirmerait que la violence de l'expérience noire occidentale a des conséquences psychiatriques dangereuses et véritables.

SOURCES

Abbott,Alison"Refugees Struggle With Mental Health Problems Caused By War and Upheaval", Scientific American, October 11, 2016 https://www.scientificamerican.com/article/refugees-struggle-with-mental-health-problems-caused-by-war-and-upheaval/

ADAA, "Multiracial Communities", Anxiety and Depression Association of America https://adaa.org/find-help/by-demographics/multiracial-communities

Ashley W. The angry black woman: the impact of pejorative stereotypes on psychotherapy with black women. Soc Work Public Health. 2014;29(1):27-34. doi: 10.1080/19371918.2011.619449. PMID: 24188294

Beardsley, Eleanor, "Paris Has Been A Haven For African Americans Escaping Racism", NPR;org, 2013 https://www.npr.org/2013/09/02/218074523/paris-has-been-a-haven-for-african-americans-escaping-racism

Bertossi Christophe, Prud'Homme Dorothée, « Identités professionnelles, ethnicité et racisme à l'hôpital : l'exemple de services de gériatrie », *Gérontologie et société*, 2011/4 (vol. 34 / n° 139), p. 49-66. DOI : 10.3917/gs.139.0049. URL : https://www.cairn.info/revue-gerontologie-et-societe1-2011-4-page-49.htm

Bhugra D: Migration, distress and cultural identity. Br Med Bull 2004; 69:129–141 Crossref, Google Scholar

Breslau J, Doris C: Psychiatric disorders among foreign-born and US-born Asian-Americans in a US national survey. Soc Psychiatry Psychiatr Epidemiol 2006; 41:943–950 Crossref, Google Scholar

Claude-Valentin,Marie . Les Antillais en France : une nouvelle donne. In: *Hommes et Migrations*, n°1237, Mai-juin 2002. Diasporas caribéennes. pp. 26-39.

DOI : https://doi.org/10.3406/homig.2002.3831

www.persee.fr/doc/homig_1142-

852x_2002_num_1237_1_3831

Certhoux A. Particularités psycho-pathologiques chez les Antillais. Incidence sur le phénomène migratoire. In: La migration des ressortissants des Départements d'Outre Mer: aspects médicaux et psycho-sociologiques. Nice : Institut d'études et de recherches interethniques et interculturelles, 1972. pp. 53-62. (*Etudes préliminaires - IDERIC*, 5)

www.persee.fr/doc/epide_0768-5289_1972_act_5_1_876

"Comme d'habitude je l'ai violée et je l'ai tuée", Le Parisien, 1998
https://www.leparisien.fr/faits-divers/comme-d-habitude-

je-l-ai-violee-je-l-ai-tuee-19-06-1998-2000122588.php

Condon Stéphanie. Les migrants antillais en métropole : un espace de vie transatlantique. In: *Espace, populations, sociétés*, 1996-2-3. Immigrés et enfants d'immigrés. pp. 513-520.

DOI : https://doi.org/10.3406/espos.1996.1778

www.persee.fr/doc/espos_0755-7809_1996_num_14_2_1778

Constant Fred. La politique française de l'immigration antillaise de 1946 à 1987. In: *Revue européenne des migrations internationales*, vol. 3, n°3, 4ème trimestre 1987. Les Antillais en Europe, sous la direction de Yves Charbit et Hervé Domenach. pp. 9-30.

DOI : https://doi.org/10.3406/remi.1987.1142

www.persee.fr/doc/remi_0765-0752_1987_num_3_3_1142

Condon, Stéphanie, « Migrations antillaises en métropole », Les cahiers du CEDREF, 8-9 | 2000, 169-200.

Cottias, Myriam « De l'esclave à la femme 'poto mitan'. Mariage et citoyenneté aux Antilles françaises (XVIIe-XXe), in Danielle Bégot, Jean-Pierre Sainton, Mélanges à jacques-Adélaïde-Merlande, Paris : Éditions du CTHS, 319-334.

Delerm Robert. La population noire en France. In: *Population*, 19e année, n°3, 1964. pp. 515-528.

DOI : 10.2307/1526462

www.persee.fr/doc/pop_0032-4663_1964_num_19_3_8380

Dickson, Bruce, D. "W. E. B. Du Bois and the Idea of Double Consciousness." *American Literature*, vol. 64, no. 2, 1992, pp. 299–309. *JSTOR*, https://doi.org/10.2307/2927837.

Dr Pierre Guillard, la tentative de suicide en Martinique, 1985 (Thèse) cite Etienne Rufz

Duparc, François, "Traumatismes et migrationsPremière partie : Temporalités des traumatismes et métapsychologie" dans Dialogue 2009/3 (n° 185), pages 15

Escobar JI, Hoyos Nervi C, Gara MA: Immigration and mental health: Mexican Americans in the United States. Harvard Rev Psychiatry 2000; 8:64–72 Crossref, Google Scholar

Giraud Michel, Marie Claude-Valentin. Identité culturelle de l'immigration antillaise. In: *Hommes et Migrations*, n°1114, Juillet-août-septembre 1988. L'immigration dans l'histoire nationale. pp. 90-103.

DOI : https://doi.org/10.3406/homig.1988.1200

www.persee.fr/doc/homig_1142-852x_1988_num_1114_1_1200

Giraud Michel. Racisme colonial, réaction identitaire et égalité citoyenne les leçons des expériences migratoires antillaises et guyanaises. In: *Hommes et Migrations*, n°1237, Mai-juin 2002. Diasporas caribéennes. pp. 40-53.
DOI : https://doi.org/10.3406/homig.2002.3832
www.persee.fr/doc/homig_1142-852x_2002_num_1237_1_3832

Gordon-Achebe, K., Hairston, D.R., Miller, S., Legha, R., Starks, S. (2019). Origins of Racism in American Medicine and Psychiatry. In: Medlock, M., Shtasel, D., Trinh, NH., Williams, D. (eds) Racism and Psychiatry. Current Clinical Psychiatry. Humana Press, Cham. https://doi.org/10.1007/978-3-319-90197-8_

Graff, G. (2014). The intergenerational trauma of slavery and its aftermath. The Journal of Psychohistory, 41(3), 181–197.

Harrison G, Holton A, Neilson D, Owens D, Boot D, Cooper J. Severe mental disorder in Afro-Caribbean patients: some social, demographic and service factors. Psychol Med. 1989

Aug;19(3):683-96. doi: 10.1017/s0033291700024284. PMID: 2798636.

"Il m'a frappée à coups de couteau- Nathalie David violée et poignardée par le tueur de l'est parisien", LE PARISIEN, 2000 https://www.leparisien.fr/archives/il-m-a-frappee-a-coups-de-couteau-nathalie-david-violee-et-poignardee-par-le-tueur-de-l-est-parisien-30-10-2000-2001728361.php

Kirmayer LJ, Narasiah L, Munoz M, et al.: Common mental health problems in immigrants and refugees: general approach in primary care. CMAJ 2011; 183:1–9 Crossref, Google Scholar

Lapin Jim. Les originaires des départements français d'Amérique à la télévision française : un statut d'immigré ?. In: *Hommes et Migrations*, n°1274, Juillet-août 2008. L'espace caribéen : institutions et migrations depuis le XVIIe siècle. pp. 104-117.

DOI : https://doi.org/10.3406/homig.2008.4760

www.persee.fr/doc/homig_1142-852x_2008_num_1274_1_4760

Lindert J, Ehrenstein OS, Priebe S, et al.: Depression and anxiety in labor migrants and refugees: a systematic review and meta-analysis. Soc Sci Med 2009; 69:246–257 Crossref, Google Scholar

Louden, D.M. The epidemiology of schizophrenia among Caribbean-born and first- and second-generation migrants in Britain. *J Soc Distress Homeless* **4,** 237–253 (1995). https://doi.org/10.1007/BF02088020

Lusk, Elizabeth M. , Taylor, Matthew J. , Nanney, John T. andAustin, Chammie C.(2010) 'Biracial Identity and Its Relation to Self-Esteem and Depression in Mixed Black/White Biracial Individuals', Journal of Ethnic And Cultural Diversity in Social Work, 19: 2, 109 — 126 To link to this Article: DOI: 10.1080/15313201003771783

Paradies Y, Ben J, Denson N, Elias A, Priest N, Pieterse A, Gupta A, Kelaher M, Gee G. Racism as a Determinant of Health: A Systematic Review and Meta-Analysis. PLoS One. 2015 Sep 23;10(9):e0138511. doi: 10.1371/journal.pone.0138511. PMID: 26398658; PMCID: PMC4580597.

McKenzie K, Bhui K. Institutional racism in mental health care. BMJ. 2007 Mar 31;334(7595):649-50. doi: 10.1136/bmj.39163.395972.80. PMID: 17395908; PMCID: PMC1839175.

Mckenzie, Kwame, Serfaty Marc, Crawford Michael, "Suicide In Ethnic Minority Groups", The British Journal of Psychiatry, Royal College of Psychiatrists, September 2003

- The British journal of psychiatry: the journal of mental science 183(2):100-1
  DOI:10.1192/bjp.183.2.100

"Mixed-Race Children 'Are Being Failed' In Treatment of Mental Health Problems", THE GUARDIAN, 2014 https://www.theguardian.com/society/2014/feb/23/mixed-race-children-mental-health

"Mixed-Race Teens Prone To Depression", WASHINGTON POST, 2003 https://www.washingtonpost.com/archive/politics/2003/10/31/mixed-race-teens-prone-to-depression/ff04745b-be4a-473d-ac59-58abdda8845d/

Mulot, Stéphanie, Redevenir un homme en contexte antillais post-esclavagiste et matrifocal, Dans Autrepart 2009/1 (n° 49), pages 117 à 135

Paradies Y, Ben J, Denson N, Elias A, Priest N, Pieterse A, Gupta A, Kelaher M, Gee G. Racism as a Determinant of Health: A Systematic Review and Meta-Analysis. PLoS One. 2015 Sep 23;10(9):e0138511. doi: 10.1371/journal.pone.0138511. PMID: 26398658; PMCID: PMC4580597.

Pourette Dolorès. Pourquoi les migrants guadeloupéens veulent-ils être inhumés dans leur île ?. In: *Hommes et*

Migrations, n°1237, Mai-juin 2002. Diasporas caribéennes. pp. 54-61. DOI : https://doi.org/10.3406/homig.2002.3833

www.persee.fr/doc/homig_1142-

852x_2002_num_1237_1_3833

Price JL, Bruce MA, Adinoff B. Addressing Structural Racism in Psychiatry With Steps to Improve Psychophysiologic Research. *JAMA Psychiatry.* 2022;79(1):70–74. doi:10.1001/jamapsychiatry.2021.2663

"Quand Guy Georges Etait Braqueur...", Le NOUVEL OBSERVATEUR, 2001

https://www.nouvelobs.com/societe/20010320.OBS2603/quand-guy-georges-etait-braqueur.html

Raveau François, Elster-Falik Edith. Les Antillais en France : problèmes de migration. In: Les travailleurs étrangers en Europe occidentale. Actes du Colloque organisé par la Commission nationale pour les études et les recherches interethniques, Paris-Sorbonne, du 5 au 7 juin 1974. Nice : Institut d'études et de recherches interethniques et interculturelles, 1976. pp. 209-216. (*Publications de l'Institut d'études et de recherches interethniques et interculturelles*, 6)

www.persee.fr/doc/ierii_1764-8319_1976_act_6_1_908

Sharpley, M., Hutchinson, G., Murray, R., & McKenzie, K. (2001). Understanding the excess of psychosis among the African-Caribbean population in England: Review of current hypotheses. *British Journal of Psychiatry, 178*(S40), S60-S68. doi:10.1192/bjp.178.40.s60

TERRIER, Nelly,"Guy Georges: Un Prédateur Incurable", LE PARISIEN, 2001
https://www.leparisien.fr/faits-divers/guy-georges-un-predateur-incurable-03-04-2001-2002075498.php

"The Consequences of Fatherlessness", Fathers.com
https://fathers.com/statistics-and-research/the-consequences-of-fatherlessness/

TOURANCHEAU, Patricia "Joe The Killer Un Prisonnier Ordinaire", Libération, 2001

https://www.liberation.fr/societe/2001/03/19/joe-the-killer-un-prisonnier-ordinaire_358162/

Tourancheau, Patricia, "C'était mon gamin, je l'adorais", Libération, 2001
https://www.google.com/amp/s/www.liberation.fr/societe

/2001/03/20/c-etait-mon-gamin-je-l-adorais_358446/%3foutputType=amp

Tourancheau, Patricia, "Un Petit Noir en Anjou", Libération, 2001
https://www.liberation.fr/societe/2001/02/16/un-petit-noir-en-anjou_354827/

Tortelli A, Errazuriz A, Croudace T, Morgan C, Murray RM, Jones PB, Szoke A, Kirkbride JB. Schizophrenia and other psychotic disorders in Caribbean-born migrants and their descendants in England: systematic review and meta-analysis of incidence rates, 1950-2013. Soc Psychiatry Psychiatr Epidemiol. 2015 Jul;50(7):1039-55. doi: 10.1007/s00127-015-1021-6. Epub 2015 Feb 7. PMID: 25660551; PMCID: PMC4464051.

Udry JR, Li RM, Hendrickson-Smith J. Health and behavior risks of adolescents with mixed-race identity. Am J Public Health. 2003 Nov;93(11):1865-70. doi: 10.2105/ajph.93.11.1865. PMID: 14600054; PMCID: PMC1448064.

VAN SPALL, India, THE FACE, "The Unspoken Mental Health Burden of Being Mixed-Race", 2021
https://theface.com/life/mixed-race-identity-mental-health-black-minds-matter-imposter-syndrome-white-fragility

Webster, Paul "Making of a Serial Killer", The Guardian, 2000
https://www.theguardian.com/lifeandstyle/2000/nov/25/weekend.paulwebster

Williams DR, Haile R, González HM, Neighbors H, Baser R, Jackson JS. The mental health of Black Caribbean immigrants: results from the National Survey of American Life. Am J Public Health. 2007 Jan;97(1):52-9. doi: 10.2105/AJPH.2006.088211. Epub 2006 Nov 30. PMID: 17138909; PMCID: PMC1716238.